Né à Newcastle, en Angleterre, en 1930, Harry Patterson a grandi à Belfast, en Irlande du Nord, où bouillonnent les passions politiques et religieuses. Il a un an quand son père abandonne les siens et douze quand sa mère se remarie.

Il quitte l'école à quinze ans pour gagner sa vie et écrire, collectionne les emplois et les refus des éditeurs, devient instituteur et obtient en 1958 son premier contrat d'écrivain. Il connaît d'abord un succès d'estime puis un succès foudroyant quand il publie sous le pseudonyme de Jack Higgins *The Eagle Has Landed* (1975) paru en France sous le titre : *L'aigle s'est envolé*. Il écrit ensuite *Le Jour du Jugement*, *Avis de tempête*, *Solo*, *Luciano*, *Les Griffes du diable*, *Exocet*, *Confessionnal*, *L'Irlandais*, *La Nuit des loups*, *Saison en enfer*, *Opération Cornouailles*, *L'aigle a disparu*, *L'Œil du typhon*, *Opération Virgin*, *Terrain dangereux*, *Mission Saba*.

Jack Higgins est, aux côtés de ses compatriotes Graham Greene, John le Carré et Frederick Forsyth, l'un des maîtres du grand roman d'aventures.

JACK HIGGINS

L'Année du tigre

TRADUIT DE L'ANGLAIS PAR LOUIS DE PIERREFEU

LE LIVRE DE POCHE

Titre original

YEAR OF THE TIGER
Michael Joseph, Londres

CHAPITRE PREMIER

La tête baissée, il courait à perdre haleine. Derrière lui, ses poursuivants se rapprochaient, il entendait distinctement leurs cris et les aboiements des chiens. Parfois, ils tiraient un coup de feu à travers les arbres. Au hasard, car ils étaient trop loin pour pouvoir le toucher. S'il parvenait à atteindre la rivière, il aurait une chance de s'en tirer. Une chance infime. De l'autre côté, il y avait le monde libre et le salut. Soudain, il trébucha contre une racine et roula plusieurs fois sur lui-même. Lorsqu'il se releva, il y eut un énorme coup de tonnerre. Puis, les nuées s'ouvrirent et une véritable trombe d'eau noya le paysage. Les chiens, désormais, ne sentiraient plus sa trace. Un éclat de rire incontrôlé s'échappa de ses lèvres et il se remit à courir. La rivière était tout près maintenant. Une fois encore, il avait parié avec le diable et il avait gagné. Brusquement, il émergea de la forêt et se retrouva au bord d'un talus escarpé. En contrebas, juste au-dessous de lui, la rivière grondait, roulant des eaux jaunes et gonflées par les pluies. En face, l'autre rive était enveloppée dans la brume. Il venait à peine de reprendre son souffle, lorsqu'un nouveau coup de feu éclata. Il ressentit un choc violent à l'épaule gauche et bascula dans le vide. Quelques fractions de seconde, un contact brutal avec l'élément liquide, et il coula comme une pierre. Le fond ? Cette rivière n'avait-elle pas de fond ? Il réagit et se mit à donner des coups de pieds frénétiques. La surface ! Il fallait qu'il remonte à la surface ! Il étouffait. C'était trop bête. Il allait mourir noyé. Alors qu'il n'y croyait plus, sa tête jaillit hors de l'eau et l'air entra dans sa poitrine. A pleins poumons.

Paul Chavasse se réveilla en sursaut. La pièce où il se trouvait était plongée dans la pénombre. Il était assis — ou plutôt vautré — dans un grand fauteuil en cuir. Dans la cheminée, le feu était presque éteint et seules quelques braises rougeoyaient encore. Le dossier qu'il avait été en train d'étudier avait glissé de ses genoux et était tombé à ses pieds. Il avait dû s'assoupir. Il avait rêvé. Bizarre. Voilà des années qu'il n'avait pas fait ce rêve. Un rêve qui n'avait rien d'imaginaire. D'un geste machinal, il tâta son épaule gauche. Parfois, quand le temps était froid et humide, sa vieille blessure le faisait encore souffrir.

La pendule au-dessus de la cheminée égrena lentement les six coups de six heures. Il tendit le bras et alluma la lampe qui était posée sur le guéridon à côté de son fauteuil. Les souvenirs se pressaient dans sa mémoire. Il se leva et, après une brève hésitation, alla jeter un coup d'œil à la fenêtre.

Le square St Martin avait son apparence habituelle. Un havre de paix au milieu de la grande ville. Des écharpes de brouillard s'effilochaient entre les arbres et sur les parterres des pelouses. En face, les vitraux de l'église étaient éclairés et, le long des trottoirs, il y avait toujours autant de voitures.

Soudain, il vit une ombre bouger devant la grille du jardin, juste en face de la maison où il habitait. La femme était à nouveau là. Un vieux chapeau démodé, un imperméable — ou plutôt quelque chose qui ressemblait à un imperméable — et, pour parachever le tableau, une jupe informe qui lui tombait sur les chevilles. Elle fit un pas en avant et apparut dans la lumière d'un réverbère. Pendant quelques instants, elle scruta la façade de la maison, puis elle recula dans l'ombre des grands arbres, redevint une silhouette vague et fantomatique.

Chavasse tira les rideaux, alluma le lustre du plafond et décrocha l'interphone pour appeler Earl Jackson. Earl était employé par le ministère de la Défense. Il lui servait de chauffeur et habitait au rez-de-chaussée avec sa femme, Lucy, qui, de son côté, faisait fonction de cuisinière et de gouvernante.

Jackson avait un accent londonien très prononcé.

— Que puis-je pour vous, Sir Paul ?

Chavasse grimaça. Il ne parvenait pas à s'habituer à une telle marque de respect, ce qui n'était guère surprenant, car cela faisait une semaine à peine que la reine l'avait anobli.

— Écoute, Earl, il y a une femme bizarre qui rôde dans l'ombre en face de la maison. Elle porte un vieux chapeau, un imperméable et une robe qui lui descend jusqu'à la cheville. C'est peut-être seulement une clocharde, mais cela fait

7

le troisième soir que je la vois. Je ne sais pourquoi, mais je ne suis pas tranquille.

— Bien, Sir. Je vais aller voir ce qu'elle fricote.

— Non, il vaut mieux agir discrètement. Envoie plutôt Lucy faire une course à l'épicerie au coin de la rue. Au passage, elle lui jettera un coup d'œil et à son retour, elle nous donnera son opinion.

— D'accord, je vais le lui demander, acquiesça Jackson. Vous sortez ce soir, Sir ?

— Oui, pour aller dîner. J'irai au Garrick. Je descendrai à sept heures.

Il commença par se raser — une vieille habitude — puis il prit une douche très chaude et se sécha vigoureusement. Ce faisant, ses doigts effleurèrent sa cicatrice à l'épaule gauche, puis glissèrent jusqu'à l'autre blessure par balle qu'il avait reçue au côté droit, dix centimètres au-dessus d'une longue balafre violacée — la marque d'un coup de poignard que lui avait donné autrefois une jeune et trop charmante espionne. Une professionnelle qui avait bien failli mettre un terme prématuré à sa carrière.

Il noua la serviette autour de sa taille et entreprit de se coiffer. Au niveau des tempes, ses cheveux commençaient à blanchir, mais sur le dessus, ils étaient encore très fournis et très noirs. Pas aussi noirs, cependant, que les prunelles de ses yeux. Les traits de son visage étaient fins et aristocratiques, avec des pommettes légèrement saillantes — un héritage de son père breton. Son regard brillait d'intelligence, mais exprimait autre chose également. Une vague lassitude ?

8

Oui, la lassitude d'un homme qui avait dû trop souvent se frotter aux dures réalités de la vie.

— Plutôt bien conservé pour une vieille baderne de soixante-cinq printemps ! commenta-t-il avec humour. Certes, mais quel avenir te reste-t-il, maintenant ? Aurais-tu oublié que demain, c'est le Grand Jour ?

Le Grand Jour. En son for intérieur, c'était de cette façon qu'il appelait le jour où il allait devoir cesser ses fonctions au Bureau, la section la plus insaisissable des services secrets britanniques. Quarante années de son existence. Vingt en tant qu'agent sur le terrain et vingt comme chef de section, après la mort de son patron. Avec l'affaire irlandaise, cette dernière période n'avait pas été la moins mouvementée.

Ainsi, tout cela était terminé, se dit-il tout en s'habillant à la hâte — une chemise blanche et un costume bleu sombre taillé sur mesure par un grand couturier londonien. Il noua sa cravate avec un soin méticuleux. La page était tournée. Plus d'action, plus de missions palpitantes, et même pas une femme pour l'aider à tromper son ennui. Certes, il y avait toujours eu de délicieuses créatures autour de lui, mais la seule femme qu'il eut vraiment aimée était morte beaucoup trop tôt. Une mort violente. Il l'avait vengée, mais sa vengeance avait eu un goût amer. Naturellement, il y avait eu d'autres femmes dans sa vie, mais avec aucune d'entre elles il n'avait eu envie de se marier et de fonder un foyer.

Il alla au salon et décrocha l'interphone.

— Je descends, Earl.

— Je vous attends, Sir. La voiture est devant la porte.

Paul Chavasse enfila un pardessus, éteignit les lumières et quitta son appartement.

Earl Jackson était noir, mais, malgré cela, il n'avait jamais eu aucun problème avec les éléments les plus racistes de l'armée britannique, dans laquelle il avait servi, d'abord comme parachutiste, puis comme membre du SAS. Le fait qu'il mesurait un mètre quatre-vingt-dix et pesait cent kilos, encore tout en muscles, malgré ses quarante-quatre ans, n'était peut-être pas étranger à l'attitude circonspecte desdits éléments. Aux Falklands, il avait été blessé et décoré par la reine en personne pour sa conduite courageuse face à l'ennemi. Cela faisait dix ans maintenant que lui et sa femme, Lucy, étaient au service de Chavasse. Une retraite dorée, en somme.

Il avait commencé à pleuvoir et lorsque Chavasse ouvrit la porte, il le trouva debout sous le porche, un parapluie ouvert à la main. Il était très élégant avec son uniforme gris et sa casquette à visière. Tandis qu'ils descendaient les marches pour rejoindre la Jaguar qui était garée devant le perron, Chavasse jeta un coup d'œil de l'autre côté de la rue.

— Elle est toujours là ?

— Je suppose qu'il n'a pas bougé, répondit Jackson en ouvrant la portière avant, car Chavasse prenait toujours place à côté de lui.

Chavasse s'assit et le regarda d'un air intrigué.

— Tu veux dire que c'est un homme ?

Avant de lui répondre, Jackson referma la portière, fit le tour de la voiture et s'installa au volant.

— Oui, mais pas un homme ordinaire,

déclara-t-il tout en démarrant. Lucy m'a dit que c'était une sorte de Chinois.

Chavasse fronça les sourcils.

— Une sorte de Chinois ? Qu'a-t-elle voulu dire par là ?

— D'après elle, il a quelque chose de différent. Il ne ressemble pas aux Chinois qu'elle connaît et encore moins aux Thaïs et aux Coréens qu'on rencontre dans les restaurants asiatiques.

— Je vois... Et sa robe ?

— Elle l'a juste entr'aperçue à un moment où il était sous un réverbère. Il s'agit d'une longue robe, un peu comme celles que portent les moines bouddhistes. Il n'y avait pas beaucoup de lumière, mais Lucy a eu l'impression qu'elle était jaune.

Chavasse hocha la tête.

— De plus en plus curieux.

— Vous voulez que je le fasse déguerpir, Sir ?

— Non, pas pour le moment. Et, s'il te plaît, arrête de m'appeler « Sir ». Cela fait trop longtemps que nous sommes ensemble.

Earl Jackson sourit.

— Je ferai de mon mieux, mais vous aurez de la peine à convaincre Lucy. Elle trouve que cela vous va tellement bien !

Ils étaient sortis du square. Le moteur de la Jaguar ronronnait doucement. Il passa en troisième et prit de la vitesse.

Au Garrick, un club très « sélect » de Londres, le portier accueillit Chavasse avec un sourire et le débarrassa de son pardessus.

— Bonsoir, Sir Paul. Soyez le bienvenu, Sir Paul.

La cause était perdue. Bon gré, mal gré, il faudrait qu'il s'habitue à ce qu'on l'appelle « Sir ».

— Merci, John.

Il monta le majestueux escalier aux murs tapissés de toiles de maîtres et entra dans le bar. À part deux gentlemen d'un certain âge qui conversaient paisiblement dans un coin, la salle était déserte.

Naturellement, le barman, lui non plus, n'ignorait pas qu'il venait d'être anobli.

— Bonsoir, Sir Paul. La même chose que d'habitude ?

— Pourquoi pas ?

Chavasse alla s'asseoir à une table au fond de la salle, sortit son vieil étui en argent et alluma une cigarette. Au bout de quelques instants, le barman lui apporta une bouteille de champagne Bollinger, l'ouvrit et le servit dans une flûte en cristal.

Chavasse le goûta et hocha la tête.

— Parfait ! approuva-t-il. Absolument parfait !

Le barman se retira discrètement et Chavasse leva de nouveau son verre.

— À ta santé, vieille baderne ! murmura-t-il en faisant tourner la flûte dans sa main. Le problème est de savoir ce que tu vas faire maintenant ?

Il but, cul sec, reposa la flûte sur la table et se laissa aller contre le dossier de son fauteuil.

À cet instant, un jeune homme entra dans le bar, s'arrêta, regarda autour de lui, puis s'approcha de la table de Chavasse.

— Sir Paul Chavasse ? Terry Williams, du cabinet du Premier ministre.

— Je ne crois pas que nous nous soyons déjà

rencontrés, fit observer Chavasse. Il y a long-temps que vous êtes à son cabinet ?

— Depuis la semaine dernière, Sir. Nous avons essayé de vous joindre chez vous et votre gouvernante nous a dit que vous étiez ici.

— Je suppose qu'il s'agit d'un problème urgent ?

— Monsieur le Premier ministre désirerait avoir un entretien avec vous.

Chavasse fronça les sourcils.

— Vous savez de quoi il s'agit ?

— Hélas, non, répondit Williams avec un sourire aimable. Mais vous ne tarderez pas à l'apprendre. Il est en route pour venir ici.

Quelques minutes plus tard, John Major, le Premier ministre de Sa Majesté britannique fit son entrée, dans le bar du Garrick.

Il était accompagné par deux gardes du corps qui se postèrent de part et d'autre de l'entrée de la salle. Le Premier ministre était en tenue de soirée. Le visage souriant, il s'avança vers Chavasse et lui tendit la main.

— Je suis content de te voir, Paul.

Tandis que Williams se retirait discrètement, les deux hommes se serrèrent la main chaleureusement.

— Dieu merci, tu ne m'as pas appelé « Sir Paul ». Je crois bien que jamais je ne m'habituerai à ce titre.

John Major s'assit en face de Chavasse.

— Au Bureau, pourtant, cela ne te gênait pas qu'on t'appelle le « Grand Patron ».

Chavasse soupira.

— Ce n'est pas pareil. Il s'agissait d'une tradition instituée par mes prédécesseurs. Je peux t'offrir une flûte de champagne ?

— Non, merci. Si je suis dans une tenue aussi officielle, c'est parce que je dois me rendre à un gala de soutien du Parti à Dorchester. Je connais les gens de là-bas et il me faudra beaucoup d'ingéniosité et de diplomatie pour refuser toutes les coupes de champagne que l'on va m'offrir.

Chavasse leva son verre et but à sa santé.

— À propos, félicitations pour ta victoire sur tes adversaires au sein du Parti !

— Oui, je suis encore là, acquiesça Major. Toi aussi, d'ailleurs.

— Plus pour très longtemps, lui fit remarquer Chavasse. Jusqu'à demain.

— Justement, c'était de cela que je voulais te parler, Paul. Cela fait combien de temps que tu es au Bureau ?

Il sourit.

— Non, ne me réponds pas. J'ai relu récemment ton dossier. Vingt ans sur le terrain, trois blessures par balles, deux à l'arme blanche.

Chavasse hocha la tête.

— De nos jours, il n'y a guère que dans les chasses à courre royales que l'on peut espérer acquérir un aussi beau palmarès.

John Major sourit à nouveau.

— Ensuite, vingt ans comme Grand Patron du Bureau et, grâce à nos amis de l'IRA, une vie aussi mouvementée que lorsque tu étais sur le terrain.

Le Premier ministre secoua la tête.

— Non, franchement, il serait dommage de laisser partir un homme qui possède une pareille expérience !

Chavasse soupira.

— J'ai soixante-cinq ans. À mon âge, on n'est plus bon à grand-chose.

— Absurde ! affirma John Major avec conviction. Tu es aussi en forme qu'un homme de cinquante ans, sinon plus.

Il se pencha en avant et baissa la voix.

— Il y a tous ces problèmes dans l'ex-Yougoslavie et, quant à l'Irlande, les négociations ne se déroulent pas aussi bien que prévues — sur certains points, nous sommes au bord de la rupture. Non, Paul, nous avons besoin de toi. J'ai besoin de toi. D'ailleurs, pour être franc, je ne vois vraiment personne qui pourrait te remplacer.

À cet instant, Williams revint vers eux.

— Veuillez me pardonner, monsieur le Premier ministre, mais vous m'avez demandé de vous rappeler l'heure.

John Major hocha la tête et se leva. Chavasse fit de même.

— Je ne sais vraiment quelle réponse te donner.

— Prends ton temps pour y réfléchir, déclara John Major en lui serrant à nouveau la main. Quand tu auras pris une décision, appelle-moi sur ma ligne personnelle. Il faut que je m'en aille, maintenant. À bientôt.

Sur ces mots, il quitta le bar, suivi par Williams et par ses deux gardes du corps.

Réfléchir. Chavasse ne fit que cela pendant qu'il dînait dans la salle à manger du club. Dingue. Il ne trouvait pas d'autre mot pour qualifier la proposition de John Major. Toutes ces années. C'était un miracle s'il avait survécu et voilà que maintenant, alors qu'il était sur le point de partir, ils lui demandaient de rester. Jusqu'à quand ?

Jusqu'au jour où un terroriste mettrait une bombe dans sa voiture ou le prendrait pour cible avec un bazooka ? Que pouvait-il désirer de plus que ce qu'il avait déjà ? Des funérailles nationales ? La Victoria Cross à titre posthume ?

Il but deux tasses de café, se leva et sortit du Garrick, poursuivi par les « Bonsoir, Sir Paul » de tous les membres du personnel. Dans la rue, Jackson l'attendait au volant de la Jaguar. Dès qu'il le vit apparaître, il descendit et lui ouvrit la portière avec déférence.

— Vous avez eu un dîner agréable ?

— Je ne sais même pas ce que j'ai mangé, avoua Chavasse.

— Il y a quelque chose qui ne va pas ? s'enquit Jackson après qu'ils eurent roulé pendant quelques minutes en silence.

— Que dirais-tu si je t'annonçais que le Premier ministre, en personne, est venu me demander de rester à mon poste ?

Jackson fit une légère embardée.

— Seigneur Dieu !

— Comme tu dis.

— Vous allez accepter ?

— Je ne sais pas, Earl. Je ne sais vraiment pas.

Il tira une cigarette de son étui, l'alluma et se carra pensivement sur son siège.

Lorsqu'ils arrivèrent à l'entrée du square St Martin, Chavasse leva la main.

— Arrête-moi ici. Je vais finir le chemin à pied. Il est temps que je jette un coup d'œil à ce quidam.

— Vous ne voulez pas que je vous accompagne ?

— Non, il est préférable que j'y aille seul. Donne-moi mon parapluie.

La pluie continuait de tomber, avec une morne insistance. Chavasse descendit, ouvrit son parapluie et marcha sur le trottoir mouillé jusqu'à l'entrée du square, à l'opposé de la maison où il habitait. Là, il s'arrêta et écouta. Au sein du brouillard qui se mêlait à la pluie, un vague murmure parvint jusqu'à lui. Des rires et des éclats de voix. Il traversa la rue et avança jusqu'à la grille du jardin qui occupait le centre du square.

Les voix et les rires étaient plus clairs maintenant. Des rires grossiers et brutaux. En proie à une brusque inquiétude, il pressa le pas et contourna le jardin. Le mystérieux inconnu était au milieu du trottoir, juste en dessous du réverbère. Trois jeunes loubards l'avaient pris à parti et étaient en train de le molester.

L'un d'entre eux — le chef de la bande, apparemment — portait une casquette de base-ball. D'un revers de la main, il fit voler le chapeau du malheureux. L'inconnu avait le crâne rasé.

— Hé, les gars, vous avez vu ce que j'ai déniché ? Un Chinetoque ! Un sale mangeur de riz ! Tenez-le pendant que je lui fais sa fête !

Le visage de l'inconnu était maintenant en pleine lumière. Un Tibétain ! Les deux autres loubards le saisirent par les épaules, tandis que leur compagnon levait le poing pour le frapper.

Chavasse se glissa derrière le hooligan et, sans un mot, lui fauchant les jambes d'un coup de pied, il l'envoya rouler au milieu de la rue.

— Je crois que ça suffira pour cette nuit, déclara-t-il en refermant son parapluie.

Les deux autres lâchèrent le Tibétain et se jetèrent sur lui, les poings en avant. Chavasse avait prévu leur réaction. Il planta le bout de son parapluie dans le ventre du premier et, pivotant sur le côté, envoya la pointe de son soulier dans le genou de l'autre qui s'effondra avec un hurlement de douleur.

Il s'apprêtait à se retourner lorsqu'il entendit un déclic derrière lui. Le Tibétain poussa un cri d'avertissement.

— Attention à vous !

Le chef des loubards s'était relevé. Il avait un couteau à cran d'arrêt à la main et une lueur meurtrière brillait dans ses yeux.

À cet instant, Jackson surgit de nulle part, telle une ombre venant de se matérialiser.

— Puis-je participer aux réjouissances ? questionna-t-il d'une voix joviale.

Le voyou se retourna, mais pas assez vite pour surprendre un professionnel du combat au corps à corps. D'un mouvement rapide et efficace, Jackson lui saisit le poignet et le tordit brutalement. Il y eut un craquement sec. Son adversaire poussa un cri de douleur et le couteau lui échappa. D'un coup de pied, Jackson envoya l'arme rouler dans une bouche d'égout. Les deux autres jeunes loubards s'étaient relevés, mais ils étaient trop mal-en-point pour avoir envie de continuer le combat. Leur chef se tenait le poignet et grimaçait horriblement.

— Sale négro ! Dommage que je n'aie pas réussi à te crever !

Jackson lui décocha un large sourire.

— C'est cela, mon garçon. Rumine ta haine et, surtout, regarde-moi bien. Je suis ton pire cauchemar. Et, maintenant, filez tous les trois, avant que je me fâche vraiment !

Sans demander leur reste, ils s'éloignèrent en boitant et disparurent dans la nuit.

— Tu es arrivé à temps, Earl, déclara Chavasse. Merci.

Jackson soupira.

— Je deviens trop vieux pour ce genre de divertissements. Vous aussi, d'ailleurs. Vous devriez y réfléchir.

Le Tibétain n'avait pas bougé. Il tenait son vieux chapeau à la main et la pluie tombait sur son crâne rasé. Sous son vieil imperméable, il portait une longue robe jaune safran. C'était donc bien un moine bouddhiste. Il avait environ trente-cinq ans et un visage calme et placide.

— La violence du monde est partout, Sir Paul.

— Je vois au moins que vous êtes bien renseigné, commenta Chavasse. Pourquoi rôdez-vous depuis trois jours devant la grille de ce square ?

— Je voulais vous parler.

— Pourquoi n'avez-vous pas sonné à ma porte ?

— J'avais peur d'être éconduit avant d'avoir pu vous rencontrer. Je suis tibétain.

— Je m'en étais rendu compte.

— Je sais que, pour les gens d'ici, j'ai une allure bizarre, expliqua-t-il en haussant les épaules. Il y en a même qui ont peur de moi. J'ai donc préféré vous attendre dans la rue.

— Au risque d'être attaqué par des brutes dans le genre de celles que nous venons de mettre en fuite ?

Le Tibétain haussa à nouveau les épaules.

— Ils sont jeunes et ne savent pas ce qu'ils font. Le renard tue la poule. C'est dans sa nature. Dois-je pour autant tuer le renard ?

Earl Jackson s'esclaffa.

— Si j'avais un poulailler et qu'un renard

s'avise d'y entrer, je n'aurais aucun scrupule à l'abattre.

Le Tibétain sourit.

— Voilà toute la différence entre vous et moi. Si j'agissais ainsi, je ne serais pas un disciple de Notre Seigneur Bouddha. Comme vous le voyez, je suis un moine bouddhiste. Mon nom est Moro. Je suis lama — c'est-à-dire prêtre ou, plutôt, frère — au monastère tibétain de Glen Aristoun, en Écosse.

Chavasse hocha la tête et prit un ton sentencieux.

— Notre Seigneur Jésus-Christ était lui aussi un être plein de douceur, mais il ne nous a jamais demandé de ne pas protéger nos poules contre les renards ou contre... les rats. Par contre, il a beaucoup insisté sur le respect que l'on devait aux étrangers et sur le devoir d'hospitalité. Au fait, quand avez-vous mangé pour la dernière fois ?

— J'ai pris un peu de riz ce matin.

Chavasse se retourna vers Jackson.

— Emmène-le donc à la cuisine, Earl. Lucy doit bien avoir dans ses placards de quoi le nourrir sans choquer ses convictions religieuses. Quand il aura mangé, fais-le monter chez moi.

Le lama Moro s'inclina cérémonieusement.

— Vous êtes un homme bon, Sir Paul.

— Pour le moment, je suis surtout un homme mouillé, répliqua Chavasse. Et comme une bronchite est vite arrivée à mon âge, il vaudrait mieux que nous rentrions nous mettre à l'abri. Vous venez ?

Sur ces mots, il traversa la rue, suivi par Earl et le lama Moro.

Une heure plus tard, Lucy frappa à la porte. Avec ses cheveux tirés en arrière, son visage plein de finesse et sa robe noire, elle aurait pu jouer le rôle d'une princesse égyptienne. Pour Earl, elle était beaucoup plus qu'une princesse. Elle était tout simplement divine.

— Je vous amène votre visiteur, Sir Paul. Grâce à Dieu, j'avais du riz et des légumes ! Ce serait merveilleux si tous les hommes pouvaient être aussi gentils et polis.

Elle s'écarta et Moro entra, enveloppé dans sa longue robe jaune safran.

— J'ai mis son imperméable et son chapeau au portemanteau de l'entrée, ajouta-t-elle avant de se retirer.

Un verre à la main, Chavasse était assis dans l'un des fauteuils devant la cheminée. Il avait ravivé le feu et les flammes dansaient joyeusement sur les boulets de charbon.

— Entrez et asseyez-vous. Je vous en prie.

— Merci. Vous êtes trop aimable.

Moro s'avança et prit place dans le fauteuil en face du sien.

— Je suppose que vous ne buvez pas d'alcool ? déclara Chavasse en levant son verre. C'est dommage, car ce whiskey irlandais est le nectar le plus vénérable que je connaisse. On dit même qu'il aurait été mis au point par des moines au Moyen Âge. Par vos confrères, en somme.

— Des moines très entreprenants.

— Vous êtes bien loin de chez vous...

— Pas vraiment. Je n'avais que quinze ans lorsque j'ai quitté le Tibet. C'était en mille neuf cent soixante-quinze.

— Je vois. Et depuis lors ?

— J'ai passé trois années en Inde auprès du dalaï-lama, puis, grâce à lui, j'ai été envoyé à Cambridge, où j'ai eu la chance d'être admis à « Trinity College », l'institution que vous avez vous-même fréquentée autrefois. Comme vous, je suis allé ensuite étudier à la Sorbonne. Seule Harvard n'a pas voulu de moi.

— Apparemment, vous connaissez beaucoup de choses à mon sujet.

— Oui, acquiesça Moro paisiblement. Votre père était français.

— Breton. Ce n'est pas tout à fait pareil.

— Je vous le concède. Votre mère était anglaise. Vous aviez un don exceptionnel pour les langues, ce qui explique vos études dans les trois plus grandes universités du monde occidental. Docteur ès lettres à vingt et un ans, vous êtes retourné à Cambridge où, à vingt-trois ans, vous avez été admis comme professeur titulaire à « Trinity College ». Apparemment, votre destin était donc tout tracé et nul n'imaginait que vous ne suivriez pas une carrière purement académique.

— Vous connaissez la suite ? questionna Chavasse avec curiosité.

— Oui. À Trinity College, vous aviez un collègue dont la fille était mariée à un Tchèque. Quand il est mort, elle a voulu revenir en Angleterre avec ses enfants. Les communistes ont refusé de la laisser partir et comme, par son mariage, elle avait acquis la nationalité tchèque, le ministère des Affaires étrangères britannique ne pouvait rien faire pour l'aider. Apprenant cela, vous êtes parti là-bas de votre propre initiative et vous avez réussi à leur faire passer la frontière.

Chavasse haussa les épaules.

— Ah, l'inconscience de la jeunesse...

— De retour à Cambridge, vous avez reçu la visite de Sir Ian Moncrieff qui était alors le Grand Patron du Bureau, la section la plus secrète des services secrets britanniques. Naturellement, à cette époque, son nom lui-même était un secret.

— Comment diable avez-vous pu obtenir toutes ces informations ?

— Par des sources personnelles que je préfère ne pas vous dévoiler, répondit Moro. Ensuite, vous avez passé vingt années sur le terrain pour le Bureau, puis vingt ans comme Grand Patron, après la mort de Moncrieff. Une carrière remarquable.

— La seule chose qui est remarquable c'est que je sois encore en vie, déclara Chavasse. Maintenant, dites-moi qui vous êtes exactement.

— Comme je vous l'ai dit, je suis moine au monastère de Glen Aristoun, en Écosse.

Chavasse hocha la tête.

— J'en ai entendu parler.

— J'y habite et j'y travaille. En qualité de bibliothécaire. On m'a demandé de réunir tous les documents que je pourrais trouver concernant la fuite du dalaï-lama en mars 1959.

Les yeux de Chavasse s'éclairèrent. Il commençait enfin à comprendre ce que lui voulait son étrange visiteur.

— Je vois. Vous avez découvert que j'étais au Tibet à ce moment-là et que j'ai été l'un de ceux qui l'ont aidé à s'enfuir en Inde.

— Oui, je sais tout cela, Sir Paul. J'ai appris vos exploits de la bouche même du dalaï-lama. Non, c'est pour une autre affaire que je désirais vous rencontrer.

— De quoi s'agit-il ? questionna Chavasse avec circonspection.

— En mille neuf cent soixante-deux, trois ans exactement après que vous avez aidé le dalaï-lama à rejoindre le monde libre, vous êtes retourné au Tibet, dans la ville de Changu, afin d'organiser la fuite du Dr Karl Hoffner qui, depuis des années, œuvrait dans la région au sein d'une mission médicale.

— Karl Hoffner ?

— Oui, acquiesça Moro. L'un des plus grands mathématiciens de ce siècle. Aussi grand qu'Einstein, sinon plus.

Ses yeux s'étaient mis à briller. Il était presque impatient, maintenant.

— Allons, Sir Paul, je sais de source sûre que c'est vous qui avez effectué cette mission. Or, après sa fuite du Tibet, il n'a plus jamais été question de Hoffner. Est-il mort là-bas ? Que s'est-il passé ?

— Pourquoi souhaitez-vous le savoir ?

— Pour la postérité. Je m'intéresse beaucoup à l'histoire de mon pays et particulièrement à toute l'époque pendant laquelle mes compatriotes ont lutté contre l'occupant chinois. Je vous en prie, Sir Paul, ces faits ont trente-trois ans maintenant et vous n'avez plus aucune raison de les garder secrets.

— Non, évidemment...

Chavasse se versa pensivement un autre whiskey.

— D'accord, mais entendons-nous bien. Tout ce que je vous dirai devra rester strictement confidentiel. Si jamais vous couchez cette histoire sur le papier, vous devrez la transformer suffisamment pour qu'elle ne soit plus qu'un pur

24

produit de votre imagination. Nous sommes d'accord ?

— C'est d'accord, Sir Paul. Vous pouvez avoir confiance en moi.

Chavasse but une gorgée de whiskey. Par où allait-il commencer ? Au fait, de quelle façon l'affaire avait-elle commencé exactement ? Il y avait tellement longtemps... Parfois, il avait l'impression qu'elle s'était passée dans une autre vie.

CHAPITRE DEUX

Chavasse chevauchait, bercé par le pas lent et paisible de son robuste petit cheval de l'Himalaya. Il n'avait pas froid. Il était emmitouflé dans sa shuba en peau de mouton et les pattes de son bonnet de fourrure battaient contre ses oreilles. D'une main, il tenait les rênes de sa monture et de l'autre un fusil à répétition semi-automatique — un Lee Enfield, le modèle en usage dans l'armée britannique. À un moment, il avait cru entendre un moteur d'avion, mais sans en être certain, car le bruit s'était rapidement estompé.

Le Pays des Neiges Éternelles. C'était ainsi que les Tibétains appelaient cette région frontalière. Un nom particulièrement bien choisi. Des montagnes vertigineuses, des défilés qui auraient eu leur place dans l'Enfer de Dante et des cols qui, souvent, culminaient à plus de six mille mètres. Autrefois, il n'était pas rare que les mules des caravanes meurent asphyxiées, tandis que leurs maîtres agonisaient, les poumons pleins d'eau. Ils mouraient noyés, en quelque sorte.

Une mort qui avait quelque chose d'ironique, se dit Chavasse. Un pied de nez de la nature et du destin. Naturellement, tout cela était du passé. Désormais, plus aucune caravane n'empruntait les pistes qui allaient aux Indes. Par décret des autorités chinoises.

La neige se remit à tomber faiblement, et il s'arrêta pour inspecter le sol devant lui. Le ciel était couvert de nuages bas et, faute de réverbération, il n'était pas toujours facile de repérer la route. La veille, il avait été surpris par une tempête de neige, aussi soudaine que violente, et avait dû chercher refuge dans une grotte, un abri de berger sommairement aménagé. Il y avait passé la nuit et, aux premières lueurs de l'aube, il s'était remis en route. Maintenant, il ne lui restait plus qu'à gravir une ultime côte. Après, ce serait le col et la longue descente vers l'Inde. Au loin, il y eut un éclair vert et orange. Le drapeau de la République indienne ! Aussitôt, il enfonça ses talons dans les flancs de son cheval.

Le poste frontière était plus que rudimentaire. Une grande masure en pierre, sans aucun système de protection. Même pas une barrière en fils de fer barbelés. Une demi-douzaine de soldats indiens montaient la garde à l'extérieur. Ils étaient en tenue de combat — treillis blancs et capuchons tirés par-dessus leurs turbans. Devant la porte, il y avait une Jeep, peinte en blanc également. Le jeune officier qui était appuyé contre sa portière se redressa et s'avança vers Chavasse, une cigarette aux lèvres.

— Monsieur Chavasse ? Je suis le lieutenant Piroo. Nous avons appris votre arrivée par la radio des résistants tibétains.

Il sourit.

— J'ai été surpris d'apprendre qu'ils n'avaient pas tous été exterminés. Si les rapports que nous avons reçus sont exacts, la répression chinoise a dû être terrible.

Chavasse mit pied à terre et un soldat emmena son cheval.

— Hélas, ils ne sont que trop exacts. C'est une véritable tuerie. Des villages entiers ont été purement et simplement rasés.

Le jeune lieutenant lui tendit une cigarette et lui donna du feu.

— Cette fois-ci, poursuivit Chavasse, je crois bien qu'ils ont décidé d'anéantir tous ceux qui s'opposent à eux par les armes.

— Est-ce la raison pour laquelle le dalaï-lama s'est enfui ?

— Oui. Il espère continuer la lutte à partir du territoire indien. À condition, naturellement, que le gouvernement indien accepte de le recevoir et de le soutenir.

— Oh, il acceptera. Notre président a été très clair sur ce point. Mais, venez donc, monsieur Chavasse. Mon patron vous attend à Gela. C'est à une quinzaine de kilomètres d'ici. Et à seulement quatre mille huit cents mètres d'altitude, ajouta-t-il avec un nouveau sourire.

Chavasse monta dans la Jeep et Piroo se glissa derrière le volant.

— Qui est votre patron ?

— Le colonel Ram Singh. Un officier de la vieille école. Très strict sur la discipline et plutôt collet monté. Il a fait ses classes à Sandhurst.

La Jeep cahotait sur les ornières de la route, mais, malgré cela, Piroo réussit à prendre une autre cigarette et à l'allumer. D'une seule main.

— La CIA ne devait-elle pas monter une grande opération pour aider les rebelles ?

— Ils ont parachuté des armes légères. De fabrication anglaise, pour la plupart, car ils ne voulaient pas avoir un incident diplomatique avec les Chinois. À part cela, ils n'ont pas fait grand-chose.

— Mais vous, vous avez fait du bon travail, monsieur Chavasse. Apparemment, les services secrets britanniques sont encore efficaces.

— C'est ce que l'on m'a dit.

— D'après ce que l'on m'a raconté, le gouvernement indien vous avait interdit de franchir la frontière du Tibet ?

— C'est exact.

— Et le major Hamid vous aurait accompagné ?

— Oui. Son aide m'a été très précieuse.

Le jeune lieutenant secoua la tête.

— Décidément, ces Pathans sont tous plus fous les uns que les autres. Ils le traduiront en cour martiale.

— Non, je ne le crois pas. Il est derrière moi en ce moment, avec le dalaï-lama. Je suis passé devant pour confirmer leur arrivée. Pour tous les Indiens, Hamid sera un héros.

— Un héros ou un martyr.

Chavasse le regarda d'un air inquisiteur.

— Qu'est-ce qui vous fait dire cela ?

— Oh, mon patron vous l'expliquera beaucoup mieux que moi. Vous savez, rien n'est jamais gagné d'avance.

Les sourcils froncés, Chavasse se renfonça sur son siège. Quelques minutes plus tard, la Jeep parvint au sommet d'une montée, où il découvrit un campement militaire et un terrain d'aviation.

30

Un avion était garé au bout de la piste. Un bimoteur peint en blanc.

— Un Navajo, murmura-t-il d'un air étonné. Que diable fait-il ici ?

— C'est un lien rapide avec la plaine, répondit Piroo. Approvisionnements, communications. Il est équipé également pour évacuer des malades ou des blessés. En cas de nécessité.

— Pourquoi est-il peint en blanc ?

— Camouflage. Au cas où je viendrais à franchir la frontière par inadvertance.

Chavasse lui jeta à nouveau un coup d'œil intrigué et le jeune lieutenant sourit.

— Oui, c'est moi qui le pilote. J'appartiens à l'armée de l'air indienne, pas aux gardes-frontières.

Sous la tente, il faisait presque trop chaud. Une carte avait été dépliée sur une table rudimentaire — deux tréteaux et des planches grossièrement rabotées. Cinq hommes étaient en train de l'étudier à la lumière d'une ampoule électrique. Chavasse et quatre officiers de l'armée indienne. Le colonel Ram Singh, leur chef, était un homme petit et sec, avec une moustache soigneusement taillée et un placard de décorations sur la poitrine.

— Cela ne me plaît pas, monsieur Chavasse, grommela-t-il. Vraiment pas. Tout à fait entre nous, je puis vous dire que le gouvernement indien était prêt à accorder l'asile politique au dalaï-lama. Le lieutenant Piroo, ici présent, était même chargé de le conduire par avion à Delhi dès qu'il se présenterait à la frontière.

— Ce qui, maintenant, est, hélas, fort improbable, déclara Piroo. J'ai effectué un survol de la piste, tout à fait illégalement, bien sûr.

Son doigt indiqua un point sur la carte.

— Lors de mon passage, la colonne du dalaï-lama était ici, soit à environ vingt-cinq kilomètres du poste frontière. Et là, à quarante kilomètres derrière elle, j'ai repéré une autre colonne. Des militaires chinois équipés de Jeeps et non de chevaux.

Chavasse étudia la carte attentivement.

— Quand avez-vous effectué votre reconnaissance ?

— Il y a une heure environ.

— Une heure... Je suis venu moi-même par cette piste. Elle est dans un état épouvantable et même en Jeep il est difficile de parcourir plus de quinze kilomètres à l'heure. Il y a des ornières très profondes et, souvent, des rochers barrent la route.

— Ce qui veut dire ? questionna Ram Singh.

— Simplement que les Chinois sont encore de l'autre côté de la gorge de Cholo, répondit Chavasse. Une gorge très profonde et très encaissée. Pour la traverser, il y a un vieux pont de bois. Ici, exactement. C'est le seul chemin possible. Il suffit de le détruire. L'avance de la colonne chinoise sera stoppée et le dalaï-lama pourra parvenir sain et sauf en Inde, comme le souhaite votre gouvernement.

Le colonel secoua la tête.

— Votre idée est séduisante, monsieur Chavasse, mais si vous suggérez que le lieutenant Piroo bombarde ce pont, je vous dis tout net qu'il n'en est pas question. La gorge de Cholo est en territoire chinois — du moins, dans un territoire revendiqué par les Chinois. Or, nous ne sommes pas en guerre avec la Chine.

— Moi, si, répliqua Chavasse en se retournant vers Piroo. Vous avez des parachutes dans votre zinc ?

— Bien sûr.

Chavasse s'adressa de nouveau à Ram Singh.

— Je comprends votre réticence, colonel, mais, par ailleurs, vous avez déjà autorisé Piroo à survoler la piste. Laissez-le m'emmener et trouvez-moi des explosifs. Au passage, nous laisserons tomber un message sur la colonne du dalaï-lama, afin de prévenir Hamid de ce qui se passe derrière lui, puis je sauterai en parachute, un peu avant le pont, et je m'arrangerai pour le rendre inutilisable.

— Et ensuite ? s'enquit Piroo. Vous serez tout seul, à pied dans la montagne.

— J'ai confiance dans Hamid. Il viendra me chercher et me ramènera.

Il y eut un long silence. Les yeux fixés sur la carte, Ram Singh pianotait nerveusement avec le bout de ses doigts.

— Vous accepteriez d'effectuer cette mission, lieutenant ? demanda-t-il à Piroo.

— Avec enthousiasme, mon colonel !

— C'est de la folie, marmonna Ram Singh. De la folie.

Puis, brusquement, son visage s'éclaira et il sourit.

— Nous ferions mieux d'y aller, monsieur Chavasse. Nous n'avons pas beaucoup de temps devant nous.

*
* *

33

— Un explosif très facile à manipuler, monsieur Chavasse, déclara Ram Singh.

Il ouvrit un sac en cuir et en tira plusieurs blocs rectangulaires vert foncé.

— C'est l'armée française qui nous le fournit.

— Du plastic, murmura Chavasse.

— Oui, acquiesça le colonel en sortant de l'une des poches latérales une poignée de cylindres allongés. C'est une matière totalement inoffensive tant qu'on ne la met pas en contact avec ces crayons détonateurs. Ceux qui ont une extrémité jaune durent deux minutes, les autres cinq minutes.

Tandis qu'il refermait le sac, un sergent apporta un parachute et aida Chavasse à fixer les sangles autour de sa taille et de sa poitrine. Quand il eut terminé, un autre sous-officier compléta son équipement avec une Sten et deux chargeurs pleins.

Ensuite, Ram Singh lui tendit une boîte lestée et munie d'un fanion rouge.

— Le message pour le major Hamid. Il lui explique exactement ce que vous avez l'intention de faire.

D'un geste amical, le colonel posa la main sur l'épaule de Chavasse.

— Vous êtes un homme courageux. J'espère qu'il vous retrouvera et qu'il parviendra à vous ramener sain et sauf.

— C'est un Pathan, répondit simplement Chavasse. Vous connaissez leur réputation. Ils seraient capables d'escalader les grilles de l'enfer, juste pour le plaisir de jeter un coup d'œil à l'intérieur.

Il sourit.

— Bon, il faudrait que j'y aille, maintenant.

Ram Singh enfila une parka et l'accompagna dehors. Il neigeotait. Des flocons aussi légers que du coton qui semblaient flotter dans le vent glacial. Ils traversèrent le terrain en direction du Navajo. Piroo était aux commandes et les moteurs tournaient déjà au ralenti. Chavasse s'arrêta au pied de l'échelle et Ram Singh lui serra chaleureusement la main.

— À la grâce de Dieu !

— Merci, colonel. Vous avez fait tout ce que vous pouviez faire.

Sur ces mots, Chavasse escalada l'échelle, entra dans la carlingue et ferma la porte derrière lui. Piroo lui jeta un bref coup d'œil par-dessus son épaule.

— Accrochez-vous. On y va.

L'appareil se mit à rouler et, lentement, commença à prendre de la vitesse. Il vibrait comme s'il allait se désarticuler. Puis, tout d'un coup, ses moteurs rugirent et il s'arracha du sol.

Malgré toutes les épaisseurs de vêtements qu'il portait, Chavasse avait froid — très froid — et commençait à avoir de la peine à respirer. Il regarda par l'un des hublots et découvrit un paysage aussi désolé que la surface de la lune, avec des pics enneigés à perte de vue. À chaque rafale de vent, l'avion tanguait dangereusement et de temps à autre il tombait comme une masse dans un trou d'air.

Le bruit du moteur était assourdissant et Piroo dut crier pour se faire entendre.

— Je vais d'abord aller en reconnaissance jusqu'au défilé. Il faut nous assurer que les

Chinois sont encore de l'autre côté du pont avant d'envoyer votre message à Hamid.

— D'accord, acquiesça Chavasse.

Ils pénétrèrent dans un nuage bas qui les enveloppa pendant quatre ou cinq minutes et, lorsqu'ils ressortirent de l'autre côté, ils découvrirent qu'ils étaient juste à la verticale du défilé. Le pont était bien visible, mais la colonne chinoise l'était encore plus. Elle se trouvait à trois kilomètres à peine du pont et avançait à bonne allure, malgré les ornières et les énormes nids-de-poule qui défonçaient la route.

— Ce n'est pas le moment de flâner, cria Chavasse. Ils seront au pont dans moins de dix minutes. Je vais sauter. Descends-moi à cinq cents pieds.

Piroo poussa sur son manche à balai et le Navajo pointa son nez vers le sol.

— Ça y est, nous y sommes.

Chavasse ouvrit la porte de la carlingue. Une bouffée d'air glacé entra dans l'avion et il eut tout juste le temps de s'accrocher à une poignée. Au-dessous de lui, le paysage défilait à une vitesse vertigineuse. Dès qu'il aperçut le pont, il s'avança au bord de la carlingue et sauta dans le vide, la tête la première.

*
* *

Hamid descendit de cheval et regarda le cavalier qui galopait vers l'endroit où était tombé l'objet que l'avion leur avait lancé en passant au-dessus d'eux. Avec son fanion rouge, il était facilement repérable sur le blanc immaculé de la neige. Sans quitter sa selle, le cavalier se pencha, le ramassa et revint vers Hamid à la même allure.

Hamid avait tous les traits du Pathan. Très grand, large d'épaules, le teint basané, une barbe fournie, un regard fier et énergique. Derrière lui, la colonne était immobile. Le cavalier s'arrêta à sa hauteur et lui donna la boîte. À l'intérieur, il y avait un message. Le major le lut et jura sourdement.

— De quoi s'agit-il, major Hamid ? s'enquit une voix derrière lui.

La voix était celle du dalaï-lama. Emmitouflé dans des peaux de mouton, Tenzin Gyatso était allongé sur une sorte de charrette, car il était trop malade pour monter à cheval.

— C'est un message de Chavasse.

— Ainsi, il a réussi à passer de l'autre côté ?

— Oui, mais il me dit également qu'une colonne chinoise est lancée à notre poursuite. En ce moment, elle se trouve juste de l'autre côté de la gorge de Cholo. Chavasse a sauté en parachute et il va essayer de détruire le pont. Il faut que j'aille lui prêter main-forte.

Le dalaï-lama hocha la tête.

— Allez-y et que Dieu vous garde.

— Merci. Je vais prendre deux hommes avec moi. De votre côté, continuez et essayez d'atteindre au plus vite la frontière. Si Chavasse échoue, c'est votre seule chance de salut.

Il donna quelques ordres brefs, vérifia sa mitraillette et s'éloigna au galop, suivi par deux cavaliers tibétains emmenant avec eux l'un des chevaux de renfort qui accompagnaient la colonne.

Chavasse toucha le sol brutalement, à environ une centaine de mètres du pont. Le souffle coupé, il resta immobile pendant quelques secondes, puis il se redressa et se débarrassa tant bien que mal du harnais de son parachute. Les Chinois n'étaient pas encore en vue. Sa mitraillette à la main, il se mit à courir en zigzaguant à travers les rochers des éboulis.

Il n'aurait pas dû courir. C'était absurde. À l'altitude où il se trouvait, un tel effort était même dangereux. Quand il arriva au pont, il était hors d'haleine et jamais son cœur n'avait battu aussi vite. Les oreilles bourdonnantes, il avança en titubant jusqu'au milieu de l'ouvrage. Là, il posa son sac, choisit un pain de plastic, y inséra un détonateur — l'un de ceux qui duraient cinq minutes — et, se penchant par-dessus le rebord du pont, le cala au point de rencontre des deux poutres maîtresses de l'ouvrage. Puis, après avoir activé le détonateur, il se releva. Juste à cet instant-là, une Jeep chinoise apparut au sommet de la dernière côte, à cent mètres à peine du pont.

Aussitôt, les balles se mirent à siffler. Courbé en deux, sa Sten dans une main et son sac dans l'autre. Chavasse rejoignit en courant l'autre rive et s'abrita derrière un rocher. Là, il prit un autre pain de plastic, y inséra un détonateur — l'un de ceux qui avaient un bout jaune — et l'activa.

La mitrailleuse continuait de tirer, les balles ricochaient autour de lui et sur le rocher qui l'abritait. Posant le pain de plastic par terre, il saisit sa Sten et lâcha une rafale au jugé. L'une des balles atteignit le mitrailleur. Décidément, la chance était avec lui. La Jeep s'était arrêtée, juste au milieu du pont. Il y en avait une autre derrière elle et le reste de la colonne était en train d'arriver.

Chavasse murmura une brève prière.

— Restez ainsi, mes jolis ! Juste une minute.

Saisissant le pain de plastic, il sortit à découvert et le lança à la volée en direction du pont.

Raté. Il rebondit sur le parapet et explosa en l'air, quelques mètres plus bas.

C'était vraiment trop bête ! La Jeep s'était remise en marche, suivie par toute la colonne. Maintenant, c'était un feu nourri qui crépitait autour de lui.

Tête baissée, Chavasse se mit à courir à travers les rochers. Au bout de quelques secondes, il jeta un bref coup d'œil par-dessus son épaule. Les deux premières Jeeps avaient réussi à atteindre la terre ferme. Au même moment, alors que le convoi commençait à s'engager sur le pont, il y eut une énorme explosion. Toute la partie centrale du pont vola en éclats, des morceaux de madriers et de poutres déchiquetées s'éparpillèrent sur les rives de la gorge. Une Jeep et un camion étaient tombés dans la rivière. Une chute de plus de trente mètres.

Lorsque l'écho de l'onde sonore s'estompa, il fut remplacé par les cris de rage des soldats qui avaient réussi à traverser. Trois dans la première Jeep et quatre dans l'autre. Avec leurs mitraillettes, ils se mirent à arroser les rochers au hasard, car, profitant du tumulte, Chavasse était parvenu à se dissimuler dans un trou, au milieu d'un vaste éboulis. Il posa son sac et l'ouvrit. Il lui restait un pain de plastic. Posément, il le prit et y inséra un détonateur à bout jaune. Deux minutes. Sa Sten à la main, il commença de compter. À quatre-vingts, il se redressa. Immédiatement, les balles se mirent à pleuvoir et il n'eut que le temps de baisser la tête. Néanmoins, il avait pu voir que les soldats étaient encore dans leurs Jeeps. Sans doute hésitaient-ils à le poursuivre au milieu des rochers. Cent dix. Il lança le pain au jugé, dans la direction des deux véhicules. Cette fois-ci, il eut de la chance. Le pain de plastic atterrit sur la Jeep qui contenait quatre soldats et explosa une seconde plus tard avec un effet dévastateur.

Il jeta un bref coup d'œil. Le carnage était horrible. Les quatre hommes avaient été déchiquetés et l'autre Jeep avait été renversée par le souffle. À demi étouffés par la fumée et par la poussière, les trois rescapés étaient en train de se relever, toussant et jurant. Il se redressa complètement et ouvrit le feu avec sa Sten. Deux ou trois balles ricochèrent sur la Jeep, puis l'arme s'enraya. Avec dépit, il la jeta par terre et courut en zigzaguant. Il ne lui restait plus que la fuite. Derrière lui, les Chinois avaient ramassé leurs mitraillettes et s'étaient lancés à sa poursuite en criant. S'il parvenait à leur échapper, ce serait un véritable miracle.

En quelques secondes, il fut hors d'haleine. Les balles sifflaient autour de sa tête et se plantaient dans la neige ou écornaient des morceaux de rochers. C'était la fin. Au moment où il allait renoncer, une voix grave et joviale résonna au-dessus de lui.

— À plat ventre, Paul ! Bon Dieu, à plat ventre ! Hamid !

Instinctivement, il obéit. Aussitôt, le Pathan apparut et, tenant sa mitraillette à deux mains, faucha les trois Chinois, d'une seule longue rafale, comme à l'exercice.

40

— C'était moins une, commenta-t-il en laissant son regard s'attarder sur les ruines du pont.

— Je ne te le fais pas dire, répondit Chavasse.

Il se redressa et, après avoir repris son souffle, il finit de gravir l'éboulis.

Lorsqu'il fut parvenu au sommet, il aperçut les deux Tibétains qui accompagnaient Hamid, et le cheval qu'ils avaient emmené avec eux.

— C'est gentil d'avoir pensé à moi, déclara-t-il en souriant. Le gouvernement indien a finalement accepté de recevoir le dalaï-lama. L'avion depuis lequel j'ai sauté en parachute est retourné nous attendre à Gela. Dès demain, nous serons tous sains et saufs à Delhi.

Hamid hocha la tête.

— Tu as fait du bon travail, Paul. Mais, ne traînons pas ici. Les Chinois ont également des avions et les soldats qui sont restés de l'autre côté du pont ont sans doute déjà alerté Lhassa par radio.

L'ambassade britannique à Delhi était inondée de lumière. Les lustres en cristal étincelaient, les ventilateurs ronronnaient doucement et les portes-fenêtres, grandes ouvertes sur le parc, laissaient entrer l'air tiède et parfumé de la plaine du Gange.

Les salons de réception étaient pleins de monde. Tous les gens qui comptaient à Delhi étaient là. Naturellement, l'ambassadeur avait invité le Premier ministre, M. Nehru, et les membres de son gouvernement, mais, ce soir-là, c'était le dalaï-lama qui était à l'honneur. Assis dans un fauteuil, dans le hall de l'ambassade, Tenzin Gyatso recevait les hommages de tous ceux, grands et petits, qui avaient tenu à venir lui présenter leurs respects.

Un peu à l'écart, Chavasse regardait la scène d'un œil critique. Il était vêtu d'un smoking d'un blanc immaculé, avec une chemise noire et un nœud papillon jaune pâle. Hamid était à côté de lui. Avec son turban, son uniforme d'apparat et les médailles qui lui battaient la poitrine, le Pathan avait vraiment fière allure.

— Regarde-les, murmura Chavasse avec mépris. Tout ce qu'ils veulent, c'est pouvoir se vanter de lui avoir serré la main. Il doit même y en avoir qui rêvent de lui demander un autographe.

— Le monde est ainsi, Paul, répondit le Pathan avec philosophie.

Dans la queue des gens qui attendaient leur tour, il y avait un Chinois. Un homme petit et sec, avec un visage souriant et des lunettes à monture en écaille. En le voyant, Chavasse fronça les sourcils.

— Qui est-ce ?

— Il s'appelle Chung, répondit un jeune lieutenant derrière lui. C'est un médecin. Un Chinois de Formose qui s'est battu contre les communistes. Il a fondé un hôpital dans un quartier pauvre de Delhi. Un saint homme qui est vénéré par ses patients et par tous les malheureux de cette ville.

Le Dr Chung prit la main du dalaï-lama et s'inclina.

— Chung, Votre Sainteté. L'un de vos plus humbles fidèles de Taïwan. Je ne suis pas digne d'un si grand honneur...

Le dalaï-lama murmura une réponse aimable. Chung s'éloigna et prit un verre sur l'un des plateaux que présentaient cérémonieusement des serviteurs enturbannés.

D'un geste de la main, Tenzin Gyatso appela le jeune lieutenant qui avait répondu à Chavasse.

— Avec cette chaleur, je suis un peu fatigué et j'ai besoin d'air. Je crois que je vais aller méditer quelques instants dans le jardin.

Au passage, il adressa un sourire à Chavasse et à Hamid.

— Je vous verrai demain, messieurs. Quand je serai moins bousculé.

Accompagné par le jeune lieutenant, il se fraya un chemin à travers la foule des invités et sortit par l'une des portes-fenêtres.

Au bout de quelques instants, le jeune lieutenant rentra dans le salon.

— Il est fatigué, expliqua-t-il. Je vais aller dire à l'entrée qu'il a besoin de se reposer et qu'il ne recevra plus personne ce soir.

Tandis qu'il s'éloignait, Hamid se retourna vers Chavasse.

— Quand rentres-tu à Londres, Paul ?

Avant de lui répondre, son ami alluma une cigarette.

— Je ne sais pas. J'attends les ordres de mon patron.

— Le Grand Patron ? Le célèbre Sir Ian Moncrieff ?

Chavasse le regarda d'un air étonné.

— Tu n'es pas censé le connaître ! Où diable...

À cet instant, une voix familière résonna derrière eux.

— C'est même tout à fait contraire à la règle !

Chavasse sursauta et pivota sur les talons. La voix était bien celle de Moncrieff. Ses cheveux gris étaient tirés en arrière, comme à son habitude, et il portait un costume de flanelle froissé avec une cravate à rayures bleues et rouges.

— Vous êtes ici ? Quand êtes-vous arrivé ?

— Il y a deux heures. Par le vol régulier de Londres. Magnifique travail, Paul. Je me suis dit qu'il serait bon que je vienne me joindre aux festivités. Vous êtes le major Hamid, je suppose ? questionna-t-il en se retournant vers le Pathan.

Les deux hommes se serrèrent la main chaleureusement.

— Très heureux de faire votre connaissance, Sir.

Moncrieff prit une coupe de champagne sur un plateau, puis se retourna vers Chavasse.

— Ils sont tous là, on dirait, commenta-t-il après avoir bu une gorgée de vin. Même nos adversaires.

— Que voulez-vous dire ? questionna Hamid.

— Je veux parler de notre ami chinois, là-bas, répondit Moncrieff en indiquant d'un geste du menton Chung, qui était en train de se diriger vers l'une des portes-fenêtres.

— C'est un Chinois nationaliste de Formose, expliqua Chavasse. Il dirige un hôpital dans un quartier pauvre de la ville.

Moncrieff secoua la tête.

— Si c'est ce que croient les services de renseignements indiens, ils sont particulièrement mal informés. J'ai vu sa photo pas plus tard que le mois dernier dans l'un de nos dossiers à Londres. C'est un agent communiste. Un homme dangereux. À propos, où est le dalaï-lama ?

— Dans les jardins, répondit Hamid.

Chung avait déjà un pied dehors.

— Allons voir, murmura Chavasse.

Hamid hocha la tête.

— Je te suis.

Les jardins étaient magnifiques. De vastes pelouses ombragées de palmiers et de magnolias et, partout, des parterres de fleurs dont les effluves embaumaient la tiédeur moite de la nuit. Au milieu de la grande allée, il y avait une fontaine avec un jet d'eau qui jaillissait vers le ciel et retombait en cascade. Plongé dans ses pensées, le dalaï-lama suivait un étroit sentier qui serpentait entre des lauriers-roses et des arbustes en fleurs. Lorsque le Dr Chung sortit de derrière un buisson, il s'arrêta et leva les yeux.

— Pardonnez-moi, Votre Sainteté, mais votre heure est arrivée, déclara le Chinois avec un rictus cynique.

Il tenait à la main un pistolet automatique muni d'un silencieux. Tenzin Gyatso le regarda et un sourire serein erra sur ses lèvres.

— Je vous pardonne, mon fils. Tous les hommes doivent mourir un jour.

Hamid courait, suivi par Chavasse. Chung avait déjà le doigt sur la détente lorsque le Pathan bondit. Un bond de tigre qui se jette sur sa proie. Sous le choc, le Chinois plia les genoux et le coup partit, accompagné par un bruit sourd. Un peu comme le bruit d'une bouteille de champagne que l'on débouche avec précaution. La balle se planta dans le sol à un mètre à peine du dalaï-lama. Revenu de sa surprise, Chung se débattit avec l'énergie du désespoir. David et Goliath. Hamid le tenait solidement, mais Chung n'avait pas lâché son pistolet et il essaya de le retourner contre son agresseur. Devinant son

45

intention, le Pathan lui saisit le poignet et il y eut un nouveau bruit sourd. Le Chinois eut un haut-le-corps. Il cessa de se débattre et s'affaissa sur le sol comme une masse. Pendant quelques secondes, son corps fut encore agité de mouvements nerveux, puis resta immobile.

Chavasse s'agenouilla et l'examina. Entre-temps, Moncrieff les avait rejoints en courant.

— Est-il mort ? s'enquit le dalaï-lama.

— Oui, acquiesça Chavasse. La balle a touché le cœur.

— Que son âme repose en paix.

— Vous devriez rentrer avec moi dans les salons, Sir, suggéra Moncrieff. À mon avis, il vaudrait mieux ne pas ébruiter cette affaire. En fait, il ne s'est rien passé, n'est-ce pas, Major ?

Hamid hocha la tête.

— Ne vous inquiétez pas, Sir. Je me charge de tout. Je vais tout de suite aller chercher le chef de la sécurité.

Après que Moncrieff eut emmené le dalaï-lama, Hamid soupira.

— Dommage que ce pauvre bougre ait décidé de se suicider ici. Nous n'aurons même pas d'explications à fournir. J'ai confiance dans les journalistes. Ils ont de l'imagination et trouveront une bonne raison pour expliquer un tel acte de désespoir. Pékin ne sera pas dupe, mais cela n'a pas d'importance. Aucun pays n'a jamais revendiqué une tentative d'assassinat. Surtout lorsque la victime désignée est un chef spirituel vénéré par des millions de fidèles. Reste ici et attends-moi, Paul. Tu feras un excellent témoin.

Le Pathan s'éloigna à grands pas. Chavasse alluma une cigarette et alla s'asseoir sur la margelle de la fontaine.

LONDRES

1962

CHAPITRE TROIS

Debout sous le porche du « Caravel Club », Chavasse contemplait d'un air lugubre la pluie qui tombait sur les trottoirs et sur la chaussée de Great Portland Street. Une pluie de novembre, froide et pénétrante. Il avait toujours aimé Londres, mais même l'amour le plus exclusif a ses limites, se dit-il en relevant le col de son imperméable avant d'affronter les éléments. Surtout à quatre heures du matin, après une nuit sans sommeil.

Il avait un goût amer dans la bouche. Il avait trop fumé et trop bu et ce n'étaient sûrement pas les cent quinze livres qu'il avait laissées sur le tapis vert qui pouvaient améliorer son humeur.

Il y avait trop longtemps qu'il traînait en ville. Voilà quel était son unique problème. Cela faisait maintenant deux mois qu'il était rentré de vacances après l'affaire Caspar Schultz et, depuis lors, on ne lui avait donné que du travail de bureau. Un travail qui aurait pu être effectué par n'importe quel fonctionnaire raisonnablement compétent.

La paperasserie. Il en avait toujours eu horreur, mais que pouvait-il faire, sinon attendre et se morfondre ? Il en était là de ses pensées, lorsqu'il tourna le coin de Baker Street. Machinalement, il leva les yeux. Il y avait de la lumière dans son appartement !

Il traversa la rue à la hâte et entra dans le hall de l'immeuble. Il n'y avait personne et le gardien de nuit devait être en train de faire sa ronde, car il n'était pas derrière le comptoir de la réception. Chavasse fronça les sourcils et considéra l'ascenseur d'un air hésitant. Finalement, il décida qu'il était plus prudent de prendre l'escalier. Sans allumer la lumière, il monta à pas de loup jusqu'au troisième étage.

Le couloir était plongé dans la pénombre. Il s'arrêta devant la porte de son appartement et écouta pendant une minute ou deux. Aucun bruit. De plus en plus bizarre. Sur la pointe des pieds, il alla jusqu'à la porte de service et sortit sa clef de sa poche.

Une femme était assise à la table de la cuisine. Une femme plutôt jolie et bien roulée, en dépit de ses grosses lunettes à monture métallique. Elle lisait un magazine. Sur la cuisinière, la bouilloire était en train de chauffer.

Très doucement, Chavasse passa derrière sa visiteuse et l'embrassa sur la nuque.

— Quelle délicieuse surprise ! murmura-t-il avec un sourire délibérément avantageux. L'heure est plutôt insolite, mais je suis moi aussi un être romantique et j'adore tout ce qui est inattendu.

Jean Frazer, la secrétaire de Moncrieff, se retourna et le considéra d'un air imperturbable.

— Ah, vous voilà enfin. Où diable étiez-vous ? Depuis hier soir, huit heures, je vous ai fait chercher dans toutes les boîtes de nuit et dans tous les tripots de Soho et du West End.

— Une affaire importante ? questionna-t-il avec un frisson d'anticipation.

Elle hocha la tête.

— Sinon, je ne serais pas ici. Le grand chef vous attend depuis minuit. Il est au salon. Vous feriez mieux d'y aller tout de suite.

— C'était du café que vous étiez en train de faire ?

— Oui, je vous l'apporterai dès qu'il sera prêt.

— Faites-le bien tassé. J'en ai besoin.

La jeune femme grimaça.

— Vous avez encore bu, n'est-ce pas ?

— On ne peut rien vous cacher, mon cœur, répondit-il avec un sourire un peu las. Vous savez que vous avez toutes les qualités d'une épouse modèle ?

Sur cette dernière pique, il quitta la cuisine et se rendit au salon.

Deux hommes étaient assis devant la cheminée. Pour passer le temps, ils jouaient aux échecs. Chavasse ne connaissait pas le plus âgé de ses visiteurs, un gentleman aux cheveux blancs qui portait des lunettes à monture en or. Il paraissait complètement accaparé par l'échiquier.

L'autre, à première vue, aurait pu être n'importe quel haut fonctionnaire dans un quelconque ministère. Un costume bien coupé, gris foncé, une cravate aux couleurs d'Eton, les tempes argentées... Presque une caricature.

Mais, dès qu'il vous regardait, l'impression était toute différente. Le bureaucrate terne et compassé se métamorphosait en homme d'action. Un homme d'action qui, en outre, était doué d'une intelligence hors du commun.

— On m'a dit que vous me cherchiez ? déclara Chavasse en enlevant son imperméable.

Moncrieff sourit. Un sourire un peu pincé.

— C'est un euphémisme. Auriez-vous trouvé un nouveau lieu de perdition ?

Chavasse hocha la tête.

— Le « Caravel Club » dans Great Portland Street. Ils ont une ou deux bonnes spécialités maison et il y a une salle de jeu. Baccara et roulette, principalement.

— Cela vaut le détour ?

— Pas vraiment, répondit Chavasse en grimaçant. Il n'y a pas d'ambiance et les prix sont prohibitifs. En revenant, je me disais qu'il était temps que je change d'air. Je m'ennuie à mourir depuis mon retour ici.

Moncrieff le regarda d'un air compréhensif.

— Je crois que nous allons pouvoir vous satisfaire, Paul. Au fait, permettez-moi de vous présenter le professeur Craig.

Le professeur se leva à demi et serra la main de Chavasse.

— J'ai beaucoup entendu parler de vous, jeune homme. Et d'une façon fort élogieuse.

— Le professeur Craig, expliqua Moncrieff, est le directeur d'un programme de recherche spatiale commandité conjointement par les pays de l'OTAN. Il nous a soumis un problème très intéressant. Pour être franc, je crois bien que vous êtes le seul de nos agents qui soit capable de le résoudre.

— Voilà une entrée en matière des plus flatteuses pour moi, commenta Chavasse. De quoi s'agit-il ?

52

Moncrieff prit dans sa poche un élégant porte-cigarette en argent et y inséra une cigarette turque avec un soin minutieux.

— Quand êtes-vous allé pour la dernière fois au Tibet, Paul ?

Chavasse fronça les sourcils.

— Vous le savez aussi bien que moi. Il y a trois ans. Lorsque nous avons aidé le dalaï-lama à échapper aux griffes des communistes chinois.

— Cela vous plairait de retourner là-bas ?

— Mon tibétain n'est pas parfait, mais je crois être encore capable de me faire comprendre, répondit Chavasse en haussant les épaules. En l'occurrence, cependant, la connaissance de la langue est une condition nécessaire, mais pas suffisante. Pour être bref, j'ai un gros handicap. Mon allure et la couleur de ma peau.

— Un handicap qui ne vous a pas empêché de mener votre mission à bien, il y a trois ans, fit observer Craig.

Chavasse hocha la tête.

— C'est vrai, mais la situation était différente. En outre, je n'ai effectué qu'un aller-retour très rapide. Quelques jours tout au plus. Si je devais y passer une période plus longue, ce serait beaucoup plus problématique. Je ne sais pas si vous le savez, professeur, mais, pendant la guerre de Corée, aucun soldat allié n'a réussi à s'échapper des camps de prisonniers chinois. Pour une raison toute simple. Si vous me parachutez n'importe où en Russie avec un déguisement *ad hoc*, je serai comme un poisson dans l'eau. Dans une rue de Pékin, je serai aussi visible qu'une verrue sur le nez d'une postulante dans un concours de beauté.

— Votre objection est pertinente, concéda

Moncrieff. Cependant, le problème n'est peut-être pas insoluble.

— Certes, mais il resterait encore les Chinois. Ils ont sensiblement resserré leur étau depuis ma dernière excursion là-bas. Surtout après la révolte des Tibétains. Naturellement, la région est très vaste et je suppose qu'ils contrôlent principalement les villes et les voies de communication. Comme tous les occupants, ils ne doivent pas beaucoup s'aventurer dans les endroits reculés.

Avant de poursuivre, il eut une brève hésitation.

— Ce problème pour l'OTAN, est-il vraiment indispensable qu'il soit résolu ?

Moncrieff hocha la tête gravement.

— C'est probablement la mission la plus importante que je vous aie jamais confiée.

— Pourriez-vous me donner quelques détails ?

— Bien sûr, acquiesça Moncrieff en s'enfonçant dans son fauteuil. À votre avis, quel est le problème international le plus crucial en ce moment — la course aux armements atomiques ?

Chavasse secoua la tête.

— Non, je ne le crois pas. Plus maintenant, du moins. Je dirais plutôt que c'est la conquête de l'espace.

— Tout à fait d'accord, acquiesça Moncrieff. Avec Gagarine et Titov, nos amis russes avaient pris une certaine avance, mais depuis les succès de John Glenn, ils sont très inquiets. Le retard de l'Occident est en train de se combler et ils le savent.

— Peuvent-ils faire quelque chose pour garder leur suprématie ?

54

— Oui. Il y a trop longtemps qu'ils travaillent dans ce domaine pour accepter facilement de se laisser distancer. Mais le professeur Craig va vous en dire plus. C'est lui l'expert dans cette matière.

Le professeur Craig retira ses lunettes et en essuya les verres avec la pochette de sa veste.

— Le problème principal est la propulsion, monsieur Chavasse. Lorsqu'il s'agit d'aller sur la lune ou encore plus loin dans l'espace, les distances à parcourir sont énormes et ce n'est pas en augmentant la taille des fusées ou en améliorant leur rendement qu'on y parviendra.

— Les Russes auraient-ils trouvé un autre moyen ?

Craig soupira.

— Pas encore, mais je pense qu'ils ne sont pas loin du but. Depuis 1956, ils ont expérimenté une fusée à moteur ionique, c'est-à-dire une fusée qui, pour sa propulsion, utilise l'énergie produite par le rayonnement lumineux des étoiles.

— Cela ressemble à un roman de science-fiction, commenta Chavasse.

— J'aimerais bien que cela ne soit que de la science-fiction, répondit Craig gravement. Malheureusement, ce n'est que la dure réalité et si nous ne parvenons pas à trouver rapidement la parade, nous risquons d'être très vite distancés et tous nos efforts auront été déployés en vain.

— Naturellement, je suppose que vous avez imaginé un moyen de leur damer le pion ?

Le professeur ajusta ses lunettes.

— Il y a peu de temps encore, je vous aurais répondu de façon négative, mais, d'après certaines informations qui me sont parvenues récemment, je pense que tout n'est pas joué. Il nous reste une carte. Une carte maîtresse.

Moncrieff se pencha en avant et prit à son tour la parole.

— Il y a une dizaine de jours, le fils d'un notable tibétain est arrivé à Srinagar, la capitale du Cachemire. Ferguson, notre agent local, l'a immédiatement pris en charge. Il nous a donné des informations très intéressantes sur ce qui se passe en ce moment au Tibet, mais, surtout, il était porteur d'une lettre pour le professeur Craig. Une lettre de Karl Hoffner.

Chavasse fronça les sourcils.

— J'ai vaguement entendu parler de lui. N'est-il pas une sorte de missionnaire ? Un médecin qui a décidé de consacrer sa vie à soigner les pauvres et les déshérités ?

— Oui, acquiesça Moncrieff. Un homme remarquable. Par de nombreux points, sa carrière ressemble à la carrière du Dr Schweitzer. C'est un médecin, un musicien, un philosophe et un mathématicien. Il est au Tibet depuis près de quarante ans.

— Il est resté là-bas après l'arrivée des communistes chinois ?

Moncrieff hocha la tête.

— Il habite à Changu, une petite ville à deux cent cinquante kilomètres de la frontière avec le Cachemire. D'après ce que nous savons, il est en résidence surveillée.

Chavasse se retourna vers Craig.

— Pourquoi est-ce à vous que cette lettre a été adressée ?

— Autrefois, Karl et moi, nous avons beaucoup travaillé ensemble. À l'université et dans des centres de recherche nucléaire. C'est l'un des grands esprits de ce siècle, ajouta-t-il avec un soupir. Il aurait pu être aussi célèbre qu'Einstein, mais, au lieu de cela, il a choisi de s'enterrer dans l'un des pays les plus retardés de la planète.

— Qu'y avait-il donc de si intéressant dans sa lettre ?

— À première vue, pas grand-chose. C'était simplement une lettre à un vieil ami. Ayant appris que ce jeune Tibétain avait l'intention de se rendre de l'autre côté de la frontière, il a profité de l'occasion pour m'écrire une dernière fois. Il n'est pas en bonne santé et sait qu'il ne lui reste plus très longtemps à vivre.

— Comment les Chinois le traitent-ils ?

Craig haussa les épaules.

— Plutôt bien, en apparence du moins. Il a été toujours très aimé par les gens du peuple. Les communistes se servent sans doute de lui comme d'une sorte de symbole. Dans sa lettre, il me dit qu'il est confiné dans sa maison depuis plus d'un an et que, pour passer le temps, il s'est remis à sa vieille passion, les mathématiques.

— Je suppose qu'il s'agit là du point le plus important ?

— Karl Hoffner est probablement l'un des plus grands mathématiciens de tous les temps, répondit Craig sur un ton presque solennel. Je ne sais pas quelle est l'étendue de vos connaissances dans ce domaine, mais je suppose que vous savez qu'Einstein a démontré que la matière n'était rien d'autre que de l'énergie à l'état latent ?

Un large sourire barra le visage de Chavasse.

— $E = mc^2$. Jusque-là, je vous suis.

— Dans sa thèse de doctorat, poursuivit Craig, Karl Hoffner a démontré que l'énergie elle-même était de l'espace enfermé dans une sorte de structure. Sa démonstration se fondait sur un développement audacieux de la géométrie non euclidienne qui était aussi révolutionnaire que la théorie de la relativité d'Einstein.

— Maintenant, je suis complètement perdu, avoua Chavasse.

Craig sourit.

— Cela n'a pas d'importance. La théorie de Hoffner était tellement complexe que lorsqu'il l'a énoncée, il n'y avait guère qu'une demi-douzaine de savants dans le monde qui étaient capables de la comprendre. Sur le moment, elle a éveillé un intérêt considérable dans les milieux académiques, puis elle est tombée dans l'oubli. Pourquoi ? Tout simplement parce qu'il ne s'agissait que d'une démonstration purement théorique. Elle ne menait à rien et ne débouchait sur aucune application pratique.

— Mais aujourd'hui, il est passé au stade supérieur. C'est là où vous voulez en venir, n'est-ce pas ?

Craig hocha la tête.

— Exactement. Dans sa lettre, il m'a annoncé, presque comme s'il s'agissait d'une banalité, qu'il avait trouvé la solution de son problème. Selon ses calculs, l'espace pourrait être manipulé d'une telle façon qu'il se transformerait en champ d'énergie.

— Et vous pensez que cette découverte est vraiment importante ?

— Importante ? s'exclama le professeur. Absolument primordiale ! Tout d'abord, elle reléguerait la physique nucléaire actuelle à l'âge de pierre de la science. Ensuite, elle nous donnerait une vision entièrement nouvelle des voyages dans l'espace. Nous pourrions produire l'énergie de nos fusées à partir de l'espace lui-même, ce qui serait infiniment supérieur à la propulsion ionique étudiée par les Russes.

— Vous pensez que Hoffner est conscient de l'importance de sa découverte ?

— Non. Il est quasiment coupé du monde extérieur et ne sait sans doute même pas que des satellites ont été mis en orbite autour de la terre. Dans ces conditions, il ne peut même pas imaginer un voyage aux confins de notre système solaire ou — qui sait ? — vers d'autres étoiles de notre galaxie.

— C'est incroyable, murmura Chavasse. Tout simplement incroyable !

— L'ennui, intervint Moncrieff, c'est que tout cela ne nous servira à rien, tant que les points essentiels de cette théorie resteront dans le cerveau d'un homme âgé et malade qui se trouve en résidence surveillée dans un pays dominé par les communistes. Il faut que nous le fassions sortir de là-bas, Paul.

Chavasse soupira.

— Je voulais de l'action et je suis servi ! Néanmoins, j'aimerais quand même savoir comment diable je vais m'y prendre pour aller récupérer votre précieux professeur Nimbus.

— J'ai déjà un peu réfléchi au problème, répondit Moncrieff.

Il posa l'échiquier par terre et déplia une carte sur la table.

— Voici la région qui nous concerne — le Cachemire et l'ouest du Tibet. Changu est ici, à environ deux cent cinquante kilomètres de la frontière. Vous remarquerez qu'à quatre-vingts kilomètres à l'intérieur du Tibet, il y a un village qui s'appelle Rudok. Dans sa dernière dépêche,

Ferguson m'a donné des informations sur cette zone. Selon les dires du jeune Tibétain qui lui a apporté la lettre de Hoffner, les Chinois n'y exercent qu'un contrôle purement nominal. Le monastère à l'extérieur de Rudok serait même un centre important de la résistance. Ce monastère pourrait vous servir, en quelque sorte, de base arrière. Naturellement, à partir de là, vous seriez livré à vous-même.

— Deux questions, murmura Chavasse. Comment vais-je aller là-bas et, ensuite, de quelle façon procéderai-je pour me faire accepter par les gens du pays ?

— Tout est déjà arrangé, répondit Moncrieff. Après la visite du professeur Craig, hier soir, j'ai utilisé la ligne spéciale pour entrer en contact avec Ferguson à Srinagar. Il m'a fallu pas moins de quatre appels. Le jeune Tibétain vous accompagnera et vous servira de guide.

— Il reste encore le moyen de transport.

— Un avion vous y emmènera.

Chavasse fronça les sourcils.

— Vous êtes sûr que c'est possible à partir du Cachemire ? La chaîne du Ladakh est l'une des plus hautes du monde.

— Ferguson nous a dégoté un pilote. Un broussard. Il s'appelle Jan Karensky. Il a fait toute la guerre aux commandes d'un avion de chasse. Depuis plusieurs années, il effectue, entre autres, des missions de reconnaissance pour le gouvernement indien. Un peu à l'extérieur de Leh, il y a une vieille piste de la RAF qu'il a déjà utilisée plusieurs fois. Elle est située à cent quarante kilomètres à peine de la frontière avec le Tibet. Nous lui avons offert cinq mille livres pour vous déposer à ce monastère près de

60

Rudok et cinq mille de plus pour aller vous récupérer une semaine plus tard, au même endroit.

— Il pense que c'est faisable ?

— D'après lui, ce n'est pas impossible. Avec un peu de chance...

Chavasse grimaça.

— Un peu de chance ! Je crois qu'il va m'en falloir vraiment beaucoup. Quand est-ce que je pars ?

— Un avion de la RAF doit décoller d'Edgeworth à neuf heures, à destination de Singapour. Il vous déposera à Aden. Là-bas, vous n'aurez aucune peine à trouver un vol pour le Cachemire.

Sur ces mots, il se leva et se retourna vers Craig.

— Je pense que nous n'avons plus rien à faire ici, Professeur. Je vais vous ramener chez vous. Vous avez la mine de quelqu'un qui serait beaucoup mieux dans son lit et je pense que je ne vaux guère mieux.

Craig commença à se lever, mais Chavasse l'arrêta d'un geste de la main.

— Un instant, s'il vous plaît. Avant que vous ne partiez, je voudrais que vous me disiez comment je pourrais me faire reconnaître par le Dr Hoffner. S'il n'est pas absolument sûr de mon identité, jamais il n'acceptera de venir avec moi.

Craig réfléchit pendant quelques instants, puis, brusquement, son visage s'éclaira.

— Il y a quelque chose dans le passé de Karl que personne ne peut connaître, à part lui et moi. Lorsque nous étions étudiants, nous avons été tous les deux amoureux de la même fille. Un soir de printemps — je crois que c'était au mois de mai —, alors que nous étions tous les deux ensemble dans sa chambre à Cambridge, nous avons décidé de régler le problème une fois pour toutes. La fenêtre était ouverte et elle était assise sur un banc, dans le jardin de la résidence. Nous avons joué à pile ou face pour savoir lequel de nous deux serait le premier à aller lui déclarer sa flamme. Karl a gagné et il est allé la rejoindre. Quelques minutes plus tard, il est revenu. Jamais je n'oublierai l'expression de son visage ! J'y suis allé à mon tour et, après qu'elle m'eut promis de devenir ma femme, je suis resté un long moment avec elle dans la pénombre. Dans la chambre, Karl s'était mis au piano. Il jouait la *Sonate au clair de lune*. C'était aussi un très grand pianiste, vous savez.

Chavasse hocha la tête.

— Je crois que cela suffira.

— C'était il y a très longtemps, poursuivit Craig, mais je suis persuadé qu'il n'a oublié aucun détail de cette soirée. Elle a dû le marquer autant qu'elle m'a marqué. Maintenant, je ne puis plus que vous souhaiter bonne chance, jeune homme, ajouta-t-il en tendant la main à Chavasse. J'espère vous revoir bientôt. En compagnie de mon vieil ami.

Sur ces mots, il se leva et prit son manteau. Moncrieff était déjà sur le pas de la porte. Avant de sortir, il se retourna une dernière fois.

— C'est une mission dangereuse, Paul. J'en suis tout à fait conscient, mais l'enjeu est immense. Tâche de ne pas l'oublier. Jean va te préparer un solide petit déjeuner. C'est elle également qui te conduira à Edgeworth. Désolé de ne pouvoir t'emmener moi-même là-bas, mais j'ai une réunion importante à neuf heures et demie au ministère des Affaires étrangères.

62

Chavasse hocha la tête.

— À bientôt, Sir. Je l'espère, du moins...

Moncrieff ouvrit la bouche, comme s'il allait dire quelque chose, mais, finalement, il se ravisa et s'effaça pour laisser passer le professeur Craig. L'instant d'après, la porte se referma sur les deux hommes.

Après leur départ, Chavasse resta quelques instants immobile, puis il alluma une cigarette et retourna à la cuisine.

Jean Frazer était en train de préparer des œufs au bacon. Elle se retourna et grimaça.

— À votre place, j'irais prendre une douche. Vous avez une mine de déterré.

— Le terme est bien choisi, mais « condamné à mort » serait plus exact, répliqua-t-il avec une morne ironie. Au fait, qu'est devenu le café que vous m'aviez promis ?

— Je n'ai pas voulu vous déranger.

Elle eut une brève hésitation, puis elle s'avança vers lui en essuyant nerveusement les paumes de ses mains sur sa jupe.

— On dirait qu'ils ne t'ont pas gâté, Paul.

Il sourit et une lueur moqueuse brilla dans ses yeux.

— C'est gentil de me tutoyer, mon cœur, murmura-t-il. Un condamné apprécie toujours ce genre d'attention avant de monter sur l'échafaud.

Brusquement, il vit qu'elle était au bord des larmes. D'un geste impulsif, il se pencha sur elle et l'embrassa sur la bouche.

— Donne-moi dix minutes pour prendre une douche et me changer. Ensuite, nous déjeunerons ensemble et tu me conduiras vers mon destin.

Toute rougissante, elle s'enfuit vers la cuisinière, tandis qu'il retournait au salon. Là, il enleva sa cravate et sa veste, puis il ouvrit la fenêtre en grand. La pluie avait nettoyé l'atmosphère et l'air était frais et vif. Il respira profondément et, tout d'un coup, il se sentit joyeux. Une joie presque euphorique. Depuis deux mois, c'était la première fois qu'il se sentait vraiment vivant. Quelques minutes plus tard, il achevait de se déshabiller et entrait dans la douche en sifflotant.

INDE-TIBET

1962

CHAPITRE QUATRE

Le lendemain matin, Chavasse atterrissait à l'aéroport de Srinagar. Ferguson l'attendait dans l'aérogare. C'était un homme grand et svelte, la quarantaine grisonnante, qui portait avec élégance un costume de toile d'un blanc immaculé.

Il l'accueillit en souriant et lui serra la main chaleureusement.

— Comment vas-tu, Paul ? Cela faisait une éternité que je ne t'avais pas vu !

Chavasse était fatigué et son costume était froissé comme s'il avait dormi sans se déshabiller, mais, néanmoins, il réussit à lui rendre son sourire.

— Un voyage horrible. Jusqu'à Aden, tout s'est bien passé, mais au-dessus de l'océan Indien, mon avion a été pris dans un violent orage et j'ai raté ma correspondance à Delhi. J'ai passé des heures à attendre le vol suivant.

— Une bonne douche, un whisky bien tassé et tout ira mieux, déclara Ferguson. Tu as des bagages ?

— Non, seulement ce sac, répondit Chavasse en lui montrant le sac de voyage qu'il tenait à la

main. Je compte sur toi pour que tu me four-
nisses les vêtements et le matériel dont je pourrais avoir besoin.

Ferguson hocha la tête.

— Je m'en suis déjà occupé. Viens. Ma voiture
est garée juste à l'entrée de l'aérogare.

Tandis qu'ils roulaient vers Srinagar, Chavasse
alluma une cigarette et regarda le paysage. Au
loin, les sommets enneigés des montagnes se
découpaient sur le bleu éclatant du ciel.

— Ainsi, c'est donc cela la fameuse vallée du
Cachemire ?

— Déçu ? s'enquit Ferguson.

— Au contraire. La réalité dépasse tout ce que
j'ai pu lire dans les livres. Depuis combien de
temps es-tu ici ?

— Environ dix-huit mois.

Un large sourire éclaira le visage de Ferguson.

— Je ne me plains pas, même si je sais que je
suis, en quelque sorte, en demi-retraite. Désormais, je ne suis plus bon à grand-chose, et il faut
bien que je me contente d'un travail de bureau.

— Comment va ta jambe ?

— Cela pourrait être pire, répondit Ferguson
en haussant les épaules. Parfois, j'ai l'impression
qu'elle est encore là, mais les médecins m'ont dit
que ce genre d'hallucination pouvait durer des
années.

La campagne avait cédé la place à la ville. Une
vieille cité aux rues étroites et tortueuses. Tandis
que leur voiture se frayait un chemin lentement
à travers la foule bigarrée, Chavasse pensa à Ferguson. Un agent dynamique et efficace, l'un des
meilleurs du Bureau, jusqu'au jour où, à Alger,
quelqu'un avait jeté une grenade dans sa chambre d'hôtel. Quand on faisait ce métier, c'était le

genre de chose qui pouvait vous arriver à n'importe quel moment, quelles que soient votre expérience et les précautions que vous preniez.

Il chassa ces idées noires de son esprit et alluma une autre cigarette.

— Ce pilote que tu m'as déniché — Kerensky. On peut avoir confiance en lui ?

— C'est l'un des meilleurs pilotes que j'aie jamais rencontrés, répondit Ferguson. Pendant la guerre, il a été chef d'escadrille dans la RAF et il a été plusieurs fois décoré. Il est au Cachemire depuis environ cinq ans.

— Ses affaires marchent bien ?

— Elles pourraient difficilement ne pas marcher. Pour un aviateur, les montagnes aux alentours sont truffées de pièges. Il n'a donc pas trop à craindre ses concurrents.

— Et il pense pouvoir m'emmener au Tibet ?

Ferguson sourit.

— Contre la somme que nous lui avons proposée, il serait prêt à faire un aller-retour en enfer. Avec lui, tout est une question de prix.

— Habite-t-il ici, à Srinagar ?

— Oui, acquiesça Ferguson. Dans un bateau aménagé en maison. Il est ancré sur la rivière, à quelques minutes à peine de chez moi.

Entre-temps, ils étaient parvenus de l'autre côté de la ville. Ils roulèrent encore quelques instants à travers un quartier résidentiel, puis Ferguson ralentit et tourna dans l'allée d'un coquet pavillon, peint tout en blanc. À leur arrivée, un jeune garçon enturbanné descendit en courant les marches du porche et saisit avec empressement le sac de voyage de Chavasse.

À l'intérieur, grâce aux stores vénitiens, il régnait une pénombre fraîche et agréable. Avant toute chose, Ferguson conduisit Chavasse à la salle de bains, une pièce carrelée, étincelante de propreté et de modernité.

— Je pense que tu trouveras tout ce dont tu as besoin, déclara-t-il avant de le laisser. J'ai demandé à mon boy de te préparer des vêtements propres. Quand tu auras fini, rejoins-moi sur la terrasse.

Lorsqu'il fut sorti, Chavasse s'examina dans la glace au-dessus du lavabo. Il n'était pas rasé, il avait les traits tirés et ses yeux étaient légèrement injectés de sang. Il poussa un soupir et entreprit de se déshabiller.

Vingt minutes plus tard, rasé de frais et les cheveux encore humides, il sortit sur la terrasse. Avec son pantalon de coton et sa chemise blanche, il avait l'impression d'être un autre homme. Ferguson l'attendait, assis dans un fauteuil en rotin, à l'ombre d'un grand parasol multicolore. En contrebas de la terrasse, le jardin descendait jusqu'à la Jhelum, la rivière au bord de laquelle est bâtie Srinagar.

— Tu as une vue magnifique, apprécia Chavasse.

Ferguson hocha la tête.

— Le soir, quand le soleil descend sur les montagnes, c'est encore plus beau.

À cet instant, le boy apparut. Il portait un plateau sur lequel étaient posés deux grands verres tout embués par la fraîcheur des cocktails qu'ils contenaient.

Chavasse but une longue gorgée et poussa un soupir de satisfaction.

— Exactement ce dont j'avais besoin, commenta-t-il. Je commence à me sentir à nouveau civilisé.

— Peut-être voudrais-tu manger quelque chose ? proposa Ferguson avec sollicitude.

— Non, merci, refusa Chavasse. J'ai déjà déjeuné dans l'avion. Si cela ne t'ennuie pas, j'aimerais voir Kerensky aussi tôt que possible.

— Cela ne m'ennuie pas du tout.

Ils finirent leurs verres, puis Ferguson se leva et sourit.

— On y va ?

Il passa devant et descendit les marches de pierre qui conduisaient à la pelouse. Au bout du jardin, un portillon en osier donnait accès au chemin de halage.

— Et le Tibétain ? questionna Chavasse après qu'ils eurent marché pendant une minute ou deux en silence. À quoi ressemble-t-il ?

— Joro ? Je crois qu'il te plaira tout de suite. Il a une trentaine d'années, possède une intelligence remarquable et parle très bien l'anglais. Quand il était enfant, il a passé trois ans dans une école tenue par des missionnaires à Delhi. Grâce à Hoffner qui lui avait appris à lire et à écrire. Il professe une véritable vénération à l'égard de son ancien maître.

— Où est-il maintenant ?

— Il habite avec d'autres Tibétains dans un camp à l'extérieur de la ville. En ce moment, il y a beaucoup de réfugiés qui traversent la frontière avec le Cachemire.

Brusquement, il s'arrêta et tourna la tête vers la rivière.

— Ah, nous voici arrivés chez Kerensky.

Le bateau du pilote était une ancienne barge à riz ventrue, rouge et or, amarrée le long de la rive. Un homme en maillot de bain était debout sur le toit de la cabine. Lorsqu'ils approchèrent, il leva les bras et plongea. Un plongeon net et élégant.

La barge était reliée à la rive par une étroite passerelle. Chavasse s'y engagea le premier et donna ensuite la main à Ferguson qui, avec sa jambe artificielle, avait quelque peine à garder son équilibre. Le pont était vernis et les cuivres des hublots étincelaient.

— Comment est-ce à l'intérieur ? questionna Chavasse.

— Un petit bijou ! répondit Ferguson. Avec tout le confort moderne.

Sur la plage arrière, à l'abri d'un auvent en toile, il y avait une table et des fauteuils en rotin. Les deux hommes s'assirent et attendirent le retour de Kerensky qui les avait vus et revenait vers le bateau. Il nageait le crawl. Un crawl rapide et plein d'aisance. Il saisit la lisse de la barge et se hissa sans effort sur le pont. Son corps athlétique ruisselait et étincelait dans la lumière du soleil.

— Ah, monsieur Ferguson ! L'homme qui m'a promis une petite fortune. Je commençais à me demander si vous n'aviez pas renoncé à votre projet.

— Mon ami a raté sa correspondance à Delhi, expliqua Ferguson.

Jan Kerensky n'était pas beau, mais son visage avait quelque chose d'attirant. Ses cheveux, coupés en brosse, commençaient à grisonner et, quand il souriait, des milliers de petites rides plissaient son front et ses joues.

— J'espère que vous avez les nerfs solides, déclara-t-il en se retournant vers Chavasse. La petite excursion que vous projetez n'a rien d'une partie de plaisir. Je vous le promets !

Immédiatement, Chavasse le trouva sympathique.

— D'après Ferguson, je ne pourrais pas être en de meilleures mains.

Une lueur joyeuse étincela dans les yeux gris du Polonais.

— Je crois être, moi aussi, un assez bon pilote, mais je ne suis qu'un homme, néanmoins. Un jour ou l'autre, je prendrai un risque de trop et je m'écraserai sur une montagne. Avec ou sans passager. Si vous voulez bien m'excuser un instant...

Il traversa le pont et disparut à l'intérieur de la barge.

— Un sacré numéro, on dirait, commenta Chavasse.

— Oui, acquiesça Ferguson. Dans son genre, il est plutôt original. Mais, aux commandes de son zinc, c'est un as et lui seul est capable de te faire traverser la chaîne du Ladakh.

Lorsque Kerensky revint sur le pont, il portait un plateau sur lequel étaient posés trois verres, une bouteille et une carte. Il posa le plateau sur la table et s'assit.

— De la vodka glacée, annonça-t-il.

Chavasse but une longue gorgée et émit un claquement de langue appréciateur.

— Un nectar. Elle est polonaise, n'est-ce pas ?

Un large sourire éclaira le visage de Kerensky.

— Il n'y a qu'en Pologne qu'on fabrique de la bonne vodka ! affirma-t-il avec conviction. Je fais venir la mienne directement de Varsovie. Dans un pays comme celui-ci, on a besoin de cela pour se maintenir en forme. Je suis encore bien conservé pour un homme de quarante-cinq ans, n'est-ce pas, monsieur Chavasse ? ajouta-t-il en bombant le torse avec fierté.

Non sans peine, Chavasse réussit à garder son sérieux.

— Le résultat est indéniable, acquiesça-t-il en hochant la tête.

Chacun ayant pris son verre, Kerensky posa le plateau par terre et déplia la carte sur la table.

— Revenons-en à nos affaires. Ferguson m'a dit que vous étiez déjà allé au Tibet ?

— Seulement au sud-est, répondit Chavasse. Dans la région de Lhassa.

— L'ouest est assez différent, déclara Kerensky. La région est presque tout entière au-dessus de quatre mille cinq cents mètres. C'est un pays sauvage et très tourmenté.

— Vous pensez pouvoir m'y conduire en avion ?

Kerensky haussa les épaules.

— Oui, sinon j'aurais tout de suite refusé de vous y emmener. À Leh, il y a une ancienne piste que j'utilise de temps à autre, en cas de nécessité. Leh est un village dans la haute vallée de l'Indus, à trois mille trois cents mètres d'altitude. Pour aller de là-bas jusqu'à Rudok, il y a à peine deux cents kilomètres.

— Et pour le terrain d'atterrissage ?

— J'ai eu un entretien avec Joro, le Tibétain qui doit vous accompagner. Il m'a décrit un endroit parfait, à une douzaine de kilomètres à l'est de Rudok. Une plaine de sable à côté d'un lac.

Chavasse hocha la tête.

— Quel type d'appareil utilisez-vous ?

— Un Beaver. Un petit avion léger et maniable, fabriqué par De Havilland. Seul un zinc de ce genre est capable de franchir ces montagnes. Nous passerons au Tibet par le col de Pangong Tso. Quatre mille cinq cents mètres d'altitude. J'espère seulement que nous ne laisserons pas un morceau de la carlingue au passage. Je vous avais prévenu : notre petite balade n'aura rien d'une partie de plaisir. La neige, la glace, le vent, le manque d'oxygène... Vous savez, vous avez encore le droit de changer d'avis.

— Je ne voudrais pas vous gâcher votre plaisir, répondit Chavasse. Quand partons-nous ?

Kerensky sourit à nouveau.

— J'ai toujours eu de la sympathie pour les têtes brûlées. Mais, ne vous y trompez pas. Pour ma part, si j'ai accepté, c'est uniquement par goût du lucre. J'ai horreur des aventures gratuites. Nous partirons pour Leh cette après-midi. Ce soir, c'est la pleine lune. Si le ciel est clair, nous redécollerons tout de suite pour Rudok. Dans le cas contraire, nous attendrons, car ce serait de la folie que de vouloir monter là-haut par un temps bouché.

— Cela te convient, Paul ? s'enquit Ferguson.

Chavasse haussa les épaules.

— Plus tôt je serai parti et plus tôt je serai de retour. À quelle heure ?

— Disons, trois heures à l'aéroport, suggéra Kerensky. Vous vous chargez du Tibétain ?

— Nous allons aller le voir tout de suite, déclara Ferguson. Il ne devrait pas y avoir de problèmes.

Ils se levèrent tous les trois et Kerensky porta un dernier toast :

— Comme on dit dans mon pays : « Puisqu'il faut mourir, autant que ce soit une belle mort ! »

L'espace d'un instant, il redevint grave, puis il vida son verre d'un trait et sourit.

— Maintenant, si cela ne vous ennuie pas, messieurs, je vais retourner à l'eau.

Sur ces mots, il leur tourna le dos et plongea dans la rivière. Chavasse et Ferguson le regardèrent nager pendant une minute ou deux, avant de redescendre à terre et de rentrer à pied au pavillon.

Moins d'une demi-heure plus tard, les deux hommes roulaient en direction du camp de réfugiés où habitait Joro. Ferguson était étrangement silencieux.

— Il y a quelque chose qui te tourmente ? questionna Chavasse.

Son ami haussa les épaules.

— Oh, ce n'est rien, sans doute. J'ai seulement eu l'impression que Kerensky n'était pas aussi chaud qu'il le prétendait.

— C'est assez normal, fit observer Chavasse. S'il a accepté, c'est uniquement pour l'argent. Il nous l'a dit lui-même. Par ailleurs, il a souvent risqué sa vie pendant la guerre et je suppose que, parfois, il se pose des questions. À force de tenter le diable, on finit par le trouver.

Ferguson lui jeta un coup d'œil de côté.

— Et toi, Paul ?

— Moi ? Je vais là où le Bureau m'envoie. En ce qui me concerne, cette mission est une mission comme les autres. Un peu plus difficile, peut-être. Voilà tout.

— N'es-tu pas inquiet à l'idée de ce qui t'attend là-haut ?

Chavasse sourit.

— Si. Mais c'est justement pour cela que j'y vais. Pour mes voyages d'agrément, je choisis des endroits plus hospitaliers.

Ils avaient quitté la grande route et cahotaient maintenant sur une piste pleine d'ornières et de nids-de-poule. Brusquement, en arrivant en haut d'une colline, ils découvrirent une trentaine de tentes plantées à côté d'un ruisseau.

Une scène paisible, presque hors du temps. Des colonnes de fumée blanche montaient des fourneaux en plein air et, dans le ruisseau, des femmes lavaient leur linge, leur longue shuba en laine remontée jusqu'à la ceinture. Des enfants, pieds nus et en haillons, jouaient à cache-cache bruyamment.

Les tentes étaient typiquement tibétaines. Des peaux de yaks cousues ensemble et fixées sur une armature circulaire en rotang avec, autour, des petits murets bas, en pierre ou en terre séchée.

L'ensemble avait un aspect charmant et pittoresque — pas du tout un camp de réfugiés, tel qu'on l'imagine. Soudain, un jeune garçon remarqua l'approche de la voiture et appela à grands cris ses camarades de jeu.

Dans le ruisseau, leurs mères s'étaient arrêtées de battre leur linge et regardaient vers le chemin, la main en visière pour se protéger du soleil.

Les cris, les gestes. L'agitation était à son comble. Puis, soudain, un cavalier apparut en haut d'une crête. Il resta immobile pendant une seconde ou deux, puis dévala la pente au galop, éparpillant au passage un troupeau de yaks, et traversa le camp sans s'arrêter.

Il portait une longue tunique à larges manches et une shuba en peau de mouton qui laissait son torse nu jusqu'à la taille. Ses bottes étaient en cuir non tanné, teint en vert. En guise de coiffure, il arborait un chapeau conique, en peau de mouton également, et ses cheveux étaient tressés et roulés à la mode tibétaine. Un grand anneau en argent pendait à son oreille gauche.

Il arrêta son cheval au milieu d'un nuage de poussière, sauta à terre et s'avança vers la voiture de Ferguson et de Chavasse. On aurait pu le croire sorti tout droit d'une gravure médiévale. Sa haute stature et son visage noble et fin lui conféraient une allure indéniablement aristocratique. Au fur et à mesure qu'il avançait, les enfants s'écartaient et s'inclinaient respectueusement.

— Joro, je te présente M. Chavasse, déclara Ferguson.

Le Tibétain tendit la main.

— Je suis content que vous soyez là, déclarat-il simplement.

Son anglais était parfait, mais ce n'est pas cela qui impressionna le plus Chavasse. L'homme qui était devant lui aurait été capable de tenir sa place dans n'importe quelle assemblée — même à la Chambre des lords. Il était intelligent et fort, aussi bien physiquement que moralement. Un chef. De la pointe des pieds jusqu'à la racine des cheveux.

Ils sortirent du camp et s'assirent sur l'herbe, au bord du ruisseau. Chavasse offrit une cigarette à Joro et en prit une lui-même.

— Ferguson m'a dit que vous étiez prêt à retourner au Tibet et à m'aider, déclara-t-il en lui donnant du feu. Pourquoi ?

— Pour deux raisons, répondit Joro. Parce que vous désirez aider le Dr Hoffner et parce que M. Ferguson m'a dit que vous étiez l'un de ceux

78

qui avaient aidé le dalaï-lama à se réfugier en Inde.

— Deux excellentes raisons. Au fait, pourquoi avez-vous quitté le Tibet ? Vous aviez des problèmes avec les Chinois ?

Joro secoua la tête.

— Non, monsieur Chavasse. Je souffrais de leurs tracasseries, mais pas plus que tous mes compatriotes et aucune charge ne pesait sur moi. Si je suis parti, c'est pour accomplir une mission que l'on m'a confiée. Nous sommes courageux, mais nous ne pouvons pas nous battre contre les Chinois avec des sabres et des mousquets. Il nous faut des fusils modernes et des mitraillettes. J'ai franchi le col de Pangong Tso avec de l'or cousu dans la doublure de ma shuba. De l'or destiné à acheter des armes. M. Ferguson m'a promis de m'en fournir.

Vous les emporterez avec vous, déclara Ferguson. Tout est arrangé. Des fusils, des caisses de munitions, quelques mitraillettes et des grenades. Je n'ai pas pu obtenir plus. Nous arrivons de chez Kerensky. Il veut partir à Leh cette aprèsmidi. Cela vous convient-il ?

Joro hocha la tête.

— Si M. Chavasse est prêt, je ne vois aucune raison pour m'attarder plus longtemps ici.

Il s'apprêtait à se lever, mais Chavasse l'arrêta d'un geste de la main.

— Un instant. Dans la mesure où le ciel sera dégagé, Kerensky compte nous emmener dès ce soir à Rudok. Nous n'avons donc pas beaucoup de temps. Avant de partir, j'aimerais avoir quelques informations sur la situation dans l'ouest du Tibet.

— Je vous comprends, acquiesça Joro. Elle est

très différente de celle qui prévaut à Lhassa et dans les régions qui sont proches du Sichuan et du Yunnan. Les Chinois ont construit une route pour relier Gartok et Yarkand à travers le plateau d'Aksai Chin, mais elle est peu fréquentée. La zone est peu peuplée et l'armée ne contrôle guère que les villes et quelques villages.

— Il y a donc des foyers de résistance ?

Un vague sourire erra sur les lèvres du Tibétain.

— Les gens de mon peuple sont des pasteurs qui vivent avec leurs troupeaux. Ils mènent une existence rude, mais libre et n'acceptent donc pas facilement le joug que voudraient leur imposer les Chinois. Dans ces conditions, n'est-il pas assez naturel qu'ils cherchent à se révolter ?

— En tant que bouddhistes, les Tibétains ne sont-ils pas opposés à toutes formes de violence ? questionna Ferguson.

— Il y a seulement trois ans, c'était encore vrai, acquiesça Joro sombrement. Mais, depuis lors, les communistes ont massacré nos jeunes gens et déshonoré nos filles. Avant que Notre Seigneur Bouddha leur enseigne la voie de la sagesse et de la paix, mes compatriotes étaient des guerriers redoutables et redoutés. Par leurs exactions, les Chinois ont réussi à les rendre à nouveau belliqueux.

— C'est vrai, murmura Chavasse. Quand j'étais dans le Sud, même les moines se battaient.

Joro hocha la tête.

— Chez nous aussi ils se battent. Au monastère de Yalung Gompa, près de Rudok, nous trouverons de nombreux amis. Les moines nous aideront autant qu'ils le pourront.

— Maintenant, parlez-moi de Hoffner, demanda

Chavasse. Quel était son état de santé, la dernière fois que vous l'avez rencontré ?

— Il venait d'être très malade. C'était pour cette raison que j'étais allé lui rendre visite. Nous avons bavardé et, quand je lui ai annoncé que j'avais l'intention de me rendre au Cachemire, il m'a demandé d'emporter avec moi une lettre pour le professeur Craig.

— Il n'est donc pas surveillé d'une façon très stricte ?

— Non. Il habite toujours dans la vieille maison de Changu qu'il a achetée autrefois, au temps de l'indépendance. Changu est une ancienne ville fortifiée, d'environ cinq mille âmes. Le colonel Li, le commandant chinois de toute la région, y a établi sa résidence.

— Hoffner est-il confiné dans sa maison ?

— Il se promène parfois dans les rues, mais il n'a pas le droit de quitter la ville.

Joro haussa les épaules.

— Si c'est cela que vous voulez savoir, aucun garde n'est posté devant sa porte. À quoi bon, d'ailleurs ? C'est un vieil homme très fatigué et il ne pourrait pas aller très loin.

Au fur et à mesure qu'il parlait, le visage de Chavasse s'était détendu.

— Nous ne devrions donc pas avoir trop de difficultés, commenta-t-il. Après tout, il nous suffit de le faire sortir de Changu et de l'emmener jusqu'à cette plaine de sable que vous nous avez indiquée, près de Rudok.

— Ce ne sera peut-être pas aussi simple que cela, déclara Joro. Par exemple, il y a la gouvernante de Hoffner. Elle n'est pas avec lui depuis très longtemps et je n'ai aucune confiance en elle.

— Pour quelle raison ?

— Il y en a plusieurs. D'abord, elle est chinoise — ou, plutôt, sa mère était chinoise. Son père était russe, ce qui ne vaut guère mieux. Elle s'appelle Katya Stranoff. Elle est arrivée à Changu par hasard. Elle se rendait à Lhassa avec son père, mais celui-ci est mort en cours de route et elle s'est retrouvée toute seule.

— Et Hoffner l'a recueillie ?

Joro hocha la tête.

— C'est plus fort que lui. Il ne peut pas s'empêcher d'aider les autres, même si pour cela il doit se priver.

Les sourcils froncés, Chavasse réfléchit pendant une minute ou deux.

— Vous n'avez pas confiance en elle, mais, en fin de compte, vous n'avez rien de précis à son encontre. Aussi bien, elle est tout à fait inoffensive.

— C'est vrai, concéda le jeune Tibétain à contrecœur.

— Bon, dans ce cas-là, le mieux est d'attendre et d'aviser sur place. Lorsque nous serons arrivés au monastère, il faudra que vous me précédiez à Changu afin de préparer le terrain et afin d'essayer d'obtenir le plus de renseignements possible. Mais nous aurons tout le temps de parler de cela plus tard.

Ferguson remit son chapeau et se leva.

— Maintenant, il serait bon que nous rentrions à Srinagar. J'ai encore plusieurs détails à régler avant le décollage de votre avion et, de ton côté, Paul, il vaudrait mieux que tu dormes quelques heures avant de t'embarquer dans cette aventure.

Chavasse hocha la tête.

— C'est la meilleure idée que tu aies eue depuis ce matin.

Il sourit et serra la main de Joro.

— À cette après-midi.

Ils quittèrent le jeune Tibétain et rejoignirent leur voiture.

— Que penses-tu de lui ? questionna Ferguson après avoir démarré et fait demi-tour.

— Tes louanges à son égard étaient plus que méritées. Je n'aurais pas pu souhaiter un meilleur compagnon.

— Je dois dire qu'après l'avoir écouté, je pense que ce ne sera pas aussi difficile que je le craignais. Naturellement, il y a cette fille dont il a parlé...

Chavasse soupira.

— C'est étrange. Dans la plupart des missions auxquelles j'ai participé, il y avait une femme. Parfois une amie, mais souvent également une ennemie. En l'occurrence, c'est l'inconnue du problème. Une alliée ou le grain de sable qui peut faire tout échouer. Enfin, le temps nous le dira, ajouta-t-il avec philosophie.

Sur cette dernière remarque, il s'enfonça confortablement dans son fauteuil et ferma les yeux.

CHAPITRE CINQ

La pluie avait cessé de tomber et un rayon de lune barrait la chambre et le lit. L'esprit encore embrumé de sommeil et de rêves, Chavasse regardait fixement le plafond.

Au bout de quelques instants, il jeta un coup d'œil à sa montre. Il était presque onze heures. Il resta allongé pendant encore une minute ou deux, puis il repoussa ses couvertures et se leva. Il avait le corps trempé, tellement il avait transpiré. Il se sécha rapidement avec une serviette, puis il s'habilla et enfila un pull-over en laine avant de sortir sur la terrasse.

Les toits plats des maisons de Leh s'étageaient en désordre jusqu'au bord de l'Indus. En face, les hautes murailles des gorges projetaient vers le ciel leurs ombres immenses et mystérieuses. La ville était calme et paisible. Quelque part, sur l'autre rive du fleuve, un chien aboyait.

Chavasse alluma une cigarette en protégeant la flamme de son allumette avec la paume de sa main. Puis, d'une chiquenaude, il envoya l'allumette éteinte dans un pot de fleurs vide. Au même instant, la lune sortit complètement des nuages et sa lumière blafarde se répandit dans la vallée comme une marée argentée qui crève les digues derrière lesquelles elle était retenue prisonnière. À l'horizon, grandioses et gigantesques, les montagnes jaillissaient vers le firmament, comme si elles voulaient rejoindre les étoiles qui, par myriades, parsemaient la voûte céleste. Le spectacle était sublime.

Il respira profondément. La brise était chargée de toutes les senteurs de la terre après une pluie d'orage. Pourquoi, tout ne pouvait-il pas être aussi simple, aussi dépourvu d'artifices ? Simple et gratuit. Il suffisait d'ouvrir les yeux et de se laisser envahir par ses sensations.

Soudain, un courant d'air plus frais que les autres lui caressa la joue et lui rappela que la frontière et les blizzards glacés du Tibet n'étaient qu'à une demi-heure d'avion de Leh. Le froid polaire et la poigne grise et sinistre de la dictature communiste. D'un seul coup, il eut froid et rentra frileusement dans sa chambre.

L'hôtel était enveloppé dans un profond silence et, pendant qu'il descendait l'escalier, une bouffée d'air chaud monta vers lui du petit hall où les pales d'un vieux ventilateur tournaient en grinçant.

À l'accueil, le veilleur de nuit dormait, la tête entre ses bras. Chavasse passa sans bruit devant lui et se dirigea directement vers le bar.

Kerensky était assis à une table, à côté d'une fenêtre ouverte, une serviette autour du cou. Il était le seul client. Un serveur papillonnait autour de lui, visiblement impressionné par la façon dont le Polonais dévorait le poulet rôti qui était posé sur son assiette. Il avait déjà mangé les deux pattes et était en train d'attaquer une aile.

Chavasse passa derrière le bar et se servit un double scotch sur des glaçons. Lorsqu'il rejoignit Kerensky, le pilote leva les yeux et lui sourit.

— Ah, vous voilà. Je m'apprêtais à envoyer quelqu'un vous réveiller. Vous voulez manger quelque chose ?

Chavasse secoua la tête.

— Non, merci. Je n'ai pas faim.

— Comment vous sentez-vous ?

— En pleine forme.

Il alla à la fenêtre et contempla le ciel.

— Plus aucun nuage. C'était ce que vous vouliez, n'est-ce pas ?

Kerensky émit un petit rire satisfait.

— Les conditions sont idéales. Je n'aurais pas pu demander mieux. Avec ce clair de lune, je n'aurai aucune peine à franchir le col. Cela va être du gâteau.

— J'espère que vous avez raison.

— J'ai toujours raison, affirma le Polonais avec conviction. Pendant la guerre, j'ai effectué plus de cent missions. Chaque fois que cela s'est mal passé, j'ai eu auparavant une sorte de prémonition. Rien de précis, mais je me sentais mal dans ma peau. Par ma grand-mère maternelle, j'ai du sang tzigane. Ce soir, je n'éprouve aucune appréhension. Vous n'avez donc rien à craindre.

Il finit son aile de poulet avec entrain, puis il leva à nouveau les yeux.

— Quand vous aurez terminé votre whisky, nous irons au terrain d'aviation. Joro et mon mécanicien y sont déjà depuis une heure.

Chavasse regarda pensivement les glaçons au fond de son verre. Contrairement à Kerensky, il n'était pas tranquille. Pas tranquille du tout.

Avait-il hérité, lui aussi — de ses ancêtres bretons — une sorte de don divinatoire ?

Peut-être, mais cela ne changeait rien, se dit-il avec fatalisme. Il ne pouvait tout de même pas annuler l'opération à cause d'un simple pressentiment !

Il leva son verre et le finit d'un seul trait.

— Je suis prêt, déclara-t-il en souriant.

La piste était située dans la plaine, le long du fleuve, à un kilomètre à peine des dernières maisons de Leh. Il s'agissait d'un simple ruban d'asphalte construit par la RAF pendant la guerre et aucun avion des lignes régulières ne s'y arrêtait jamais, sauf en cas d'urgence.

À part un vieil hangar en béton, au toit criblé de gouttières, il n'y avait aucun bâtiment de service.

Le Beaver était garé à l'intérieur. Son fuselage argent et rouge étincelait dans la lumière des lampes tempête accrochées à la charpente métallique, juste au-dessus de l'avion. Jagbar, le mécanicien de Kerensky, était en train de procéder aux dernières vérifications sous le regard intéressé de Joro.

— Tout va bien ? questionna Kerensky en pénétrant dans le hangar, suivi par Chavasse.

Jagbar se retourna et lui adressa un sourire aussi large qu'édenté.

— Le moteur tourne comme une horloge, sahib.

— Et le kérosène ?

— J'ai fait le plein, y compris celui du réservoir de secours. Kerensky hocha la tête et passa la main amoureusement sur la carlingue de l'appareil.

— Tu vas à nouveau prendre ton envol, mon bel oiseau, murmura-t-il en polonais, avant de se retourner vers Chavasse.

— Si vous êtes prêt, on peut y aller.

— Je vais d'abord me changer, répondit Chavasse. M'avez-vous apporté le déguisement que je vous ai demandé, Joro ?

Le jeune Tibétain sourit et alla chercher un ballot de vêtements dans la soute de l'avion. Une longue tunique en laine écrue, une shuba en peau de mouton, un chapeau conique avec des pattes et des bottes tibétaines en cuir non tanné.

Chavasse n'eut besoin que de quelques instants pour se déshabiller et se rhabiller.

— Ça ira ? questionna-t-il en se redressant.

Kerensky hocha la tête.

— De loin, il n'y aura aucun problème, mais n'oubliez pas de garder votre visage toujours bien dissimulé. Il est aussi français qu'un paquet de gauloises ou que la place Pigalle un samedi soir.

Chavasse s'esclaffa.

— J'essaierai de m'en souvenir.

Précédé par Joro, il monta dans l'avion, puis Kerensky se glissa aux commandes de l'appareil. Après avoir déplié sa carte à côté de lui, il se retourna vers Joro.

— Tu es sûr que nous ne rencontrerons pas la patrouille des gardes-frontières ?

— Oui, acquiesça le Tibétain sans la moindre hésitation. Malgré les ordres qu'ils ont reçus, ils n'osent plus s'aventurer jusqu'au col de Pangong Tso. C'est trop dangereux pour eux. Leur détachement est composé seulement de dix hommes et d'un sergent. Ils ne dépassent jamais les alentours immédiats de Rudok — sauf quand ils ne peuvent vraiment pas faire autrement.

Kerensky se pencha vers Jagbar et lui fit un signe de la main.

— Je serai de retour dans deux heures ! cria-t-il. Enlève les cales.

Le mécanicien obéit et s'écarta de l'appareil qui, lentement, sortit du hangar et alla se placer en bout de piste, face au vent. Le moteur ronronnait avec une rassurante régularité. Kerensky mit les gaz et le ruban d'asphalte se mit à défiler. De plus en plus vite. À la dernière seconde, alors que Chavasse pensait déjà qu'ils allaient s'écraser dans les rochers, le Polonais tira sur son manche et ils s'élevèrent dans le ciel. Ils passèrent au-dessus des toits de Leh, puis s'enfoncèrent dans l'étroite vallée de l'Indus. Gigantesques et terrifiantes, les murailles rocheuses défilaient de part et d'autre de la carlingue.

Ils montèrent plus haut et décrivirent une courbe qui les fit passer entre deux pics et au-dessus d'un col. La montagne était partout. Des sommets déchiquetés, des à-pics vertigineux... Les gorges dans lesquelles ils se faufilaient étaient parfois si resserrées que Chavasse se demandait comment Kerensky s'y prenait pour que les ailes de leur avion ne frottent pas contre les parois.

Finalement, il détourna les yeux et reporta son attention sur Joro. Le jeune Tibétain avait une mitraillette posée sur les genoux. Il avait ouvert une caisse de munitions et garnissait des chargeurs avec un soin méthodique et minutieux.

Chavasse sortit son propre pistolet — un Walther — et en vérifia le fonctionnement, avant de le remettre dans le holster en cuir accroché à sa ceinture. De toute façon, une arme de ce genre ne lui serait pas d'une grande utilité s'ils rencontraient un vrai problème. Machinalement, il saisit lui aussi une mitraillette et entreprit d'en garnir le chargeur. À tout hasard.

Une demi-heure passa. Ils survolaient un paysage désolé, presque lunaire. Les montagnes succédaient aux montagnes. Des montagnes toujours plus hautes, toujours plus enneigées. Au milieu de ce labyrinthe, Kerenski pilotait son avion avec une habileté qui tenait du génie — ou, plutôt, du miracle. Dans le ciel, au-delà des cimes, les étoiles brillaient de mille feux, comme des diamants sur un tapis de velours noir. Jamais Chavasse n'avait contemplé un spectacle aussi grandiose.

De temps à autre, ils tombaient dans un trou d'air. Une brève chute, puis le moteur rugissait et ils reprenaient de l'altitude. À un moment, alors qu'ils suivaient un défilé étroit et sinueux, Chavasse eut l'impression que le bout de leur aile droite avait frôlé un rocher, mais l'avion continua sa course, comme si rien ne s'était passé. Aux commandes, Kerensky était aussi imperturbable qu'une statue de marbre. Rien ne semblait pouvoir le troubler.

Brusquement, ils glissèrent sur le flanc d'une montagne et, cent mètres en-dessous de leur appareil, un lac étincela dans la lumière de la lune.

— Pangong Tso ! cria Joro pour se faire entendre par-dessus le vacarme du moteur.

Le col tant attendu montait à leur rencontre.

Kerensky tira doucement sur son manche, mais, malgré cela, la terre gelée se rapprochait dangereusement.

Chavasse retint son souffle et attendit le choc, mais il n'eut pas lieu. Lorsqu'ils franchirent la dernière bosse, il restait à peine quinze mètres sous la carlingue. La passe était étroite, avec d'un côté un glacier et de l'autre une muraille rocheuse presque verticale.

Après le col, un vaste plateau s'ouvrit devant leurs yeux. Kerensky se retourna. Son visage brillait dans la lumière orangée des cadrans de son tableau de bord.

— Je pense que cela vous plaira d'apprendre que nous sommes maintenant au-dessus du Tibet, cria-t-il. Je vais changer légèrement de cap afin d'éviter Rudok. Nous n'avons aucune raison d'annoncer notre arrivée.

L'avion s'inclina pour virer vers l'est, puis se redressa lentement. Ils survolaient maintenant un paysage de steppes arides qui ondulaient jusqu'à l'horizon. Çà et là, un trait plus sombre indiquait la présence d'une vallée.

Puis, au bout de quelques instants, un lac apparut. Joro tapa sur l'épaule de Kerensky. Le Polonais hocha la tête et commença à amorcer sa descente.

La plaine de sable était située à l'extrémité du lac. Sa surface réfléchissait les rayons de la lune et Kerensky en fit le tour à vitesse réduite avant de se préparer à atterrir. Brusquement, alors que le nez de l'avion était déjà pointé vers le sol, il redressa l'appareil et reprit de l'altitude.

— Y a-t-il quelque chose qui ne va pas ? questionna Chavasse.

— Une lumière, répondit le pilote. J'ai vu une

lumière. Juste de l'autre côté de la petite colline au bord du lac. Je vais descendre jeter un coup d'œil.

Il effectua un nouveau cercle, mais la lumière avait disparu.

— Qu'en pensez-vous ? questionna-t-il par-dessus son épaule.

Chavasse regarda Joro d'un air inquisiteur. Le jeune Tibétain haussa les épaules.

— Si ce n'était pas une illusion d'optique, il ne pouvait s'agir que d'un feu allumé par des bergers. Jamais des soldats chinois n'oseraient passer la nuit en plein air dans cette zone.

— La question est donc réglée, déclara Chavasse. Posez-vous.

Kerensky hocha la tête et effectua un dernier tour du lac, puis il se positionna dans le vent et sortit son train d'atterrissage. Moins de trente secondes plus tard, l'avion toucha le sol en douceur et roula pendant quelques dizaines de mètres sur le sable, avant de s'arrêter au bord du lac.

Chavasse ne perdit pas de temps. Il ouvrit la porte de la carlingue et sauta à terre. Puis, aidé par Joro, il entreprit de décharger les armes et les caisses de munitions.

L'hélice de l'avion continuait de tourner au ralenti et les enveloppait dans un nuage de sable. En quelques instants, tout fut déchargé et le jeune Tibétain sauta à terre également.

Kerensky avait quitté ses commandes et était passé à l'arrière pour refermer la porte derrière eux.

— La semaine prochaine, même jour, même heure, même endroit, cria-t-il. Tâchez de ne pas être en retard. Je n'aurai aucune envie de traîner dans le coin.

— D'accord. À bientôt !

Chavasse et Joro tirèrent les caisses à l'écart et se reculèrent, tandis que Kerensky faisait demi-tour et allait se placer au bout de la grève de sable. Puis, le moteur rugit et l'appareil s'élança. Quelques secondes plus tard, le Beaver s'élevait au-dessus du lac et disparaissait à l'horizon, en direction du nord-ouest.

Encore à demi assourdi par le bruit du moteur de l'avion, Chavasse se retourna vers Joro.

— Il faudrait trouver un endroit pour cacher tout ce bazar en attendant que vos amis de Yalung Gompa puissent venir le chercher.

Après avoir regardé autour de lui, il se dirigea vers un étroit ravin qui s'enfonçait dans le flanc de la colline qui fermait l'un des côtés de la grève de sable. C'était bizarre. Le bruit du moteur continuait de résonner dans ses oreilles...

Il inspecta brièvement le ravin. Il était profond et parsemé de rochers. L'endroit idéal pour dissimuler provisoirement leurs armes et leur matériel. Il s'apprêtait à appeler Joro lorsque, comme par magie, une Jeep apparut sur la crête de la colline, juste au-dessus de lui.

Il s'arrêta net, comme paralysé, et, en une fraction de seconde, son esprit enregistra les casquettes à visière des soldats et le canon gris et menaçant d'une mitrailleuse montée sur affût pivotant. Instinctivement, il dégaina son Walther et rebroussa chemin en courant.

— Attention, Joro ! Gare à toi !

Le canon de la mitrailleuse avait déjà accroché sa cible. De petites flammes jaillirent et trouèrent la nuit, accompagnées par un crépitement sec et

94

brutal. Autour de Joro, les balles soulevaient une longue traînée de gerbes de sable.

Désespérément, le jeune Tibétain se jeta sur le côté et se mit à courir en zigzag. Chavasse mit un genou en terre et lâcha deux ou trois coups de feu en direction de la Jeep afin de détourner le tir vers lui.

Surpris, le mitrailleur eut une brève hésitation. Profitant du répit, Joro donna un dernier coup de rein et disparut au milieu d'un chaos de rochers le long de la plage. Changeant de cible, le canon de la mitrailleuse se braqua sur Chavasse. Il se précipita dans le ravin et se jeta à plat ventre. Les balles sifflaient autour de lui et ricochaient sur les pierres. Un éclat lui érafla la joue et, alors qu'il se relevait pour tenter de s'enfoncer un peu plus avant dans le ravin, il sentit une brusque déchirure à l'épaule gauche. À nouveau, il se jeta à terre, les bras sur la tête, dans une vaine tentative pour se protéger. Au bout de quelques instants, les détonations cessèrent et furent remplacées par un silence encore plus angoissant. Prudemment, il se remit debout, mais, presque aussitôt, il y eut un grésillement, suivi par une déflagration sourde, et le ravin fut inondé de lumière. Une lumière blanche et crue. Immobile, il regarda la fusée éclairante qui redescendait lentement vers le sol. Quelques secondes s'écoulèrent, puis, deux Chinois armés de mitraillettes apparurent au bord du ravin. Alors qu'il levait son Walther, un troisième homme émergea derrière eux.

Il souriait. Un sourire fin et narquois. Il était si près que Chavasse pouvait voir la plume de son chapeau tyrolien et le col en fourrure de sa veste de chasse.

— Ne faites pas l'idiot, déclara-t-il calmement en anglais. Vous n'auriez aucune chance et vous le savez.

Chavasse le considéra avec stupéfaction, puis, malgré sa douleur à l'épaule, il ne put s'empêcher de rire. Un chapeau tyrolien au Tibet! c'était vraiment trop cocasse.

— Ce que vous dites n'est pas bête, répondit-il en jetant son pistolet par terre. Finalement, je crois qu'il vaut mieux que je me rende. Je n'ai aucune envie de mourir en héros.

CHAPITRE SIX

Le vent des steppes tourbillonnait dans la cuvette et caressait Chavasse avec ses doigts glacés. Il frissonna et tira sa shuba en peau de mouton sur son visage.

La douleur de son épaule gauche s'était transformée en un tiraillement lancinant et, pour ne rien arranger, il avait un mal de tête atroce et ressentait une vague nausée. Des troubles qui étaient dus probablement au fait qu'il n'avait pas eu le temps de s'habituer à l'altitude.

Il était assis, le dos appuyé contre l'une des roues de la Jeep et, à quelques pas de lui, la flamme d'un réchaud à alcool vacillait devant une minuscule tente militaire. Les deux soldats chinois étaient accroupis de part et d'autre du réchaud. Leur mitraillette posée sur les genoux, ils fumaient une cigarette, tout en faisant chauffer du café dans une casserole en aluminium.

Chavasse se demanda ce qu'il était advenu de Joro. Lui, il avait au moins réussi à s'enfuir et, apparemment, sans avoir été blessé. De ce point de vue-là, le désastre n'était pas total, mais, pour le moment, il ne pouvait espérer aucune aide de sa part. Seul et sans armes, le jeune Tibétain ne pourrait rien tenter pour le délivrer. Cependant, s'il parvenait à entrer en contact avec ses hommes, ce serait une tout autre histoire.

La tente s'ouvrit et l'homme au chapeau tyrolien en sortit en rampant. Il tenait à la main une boîte de premiers secours.

Il vint s'accroupir à côté de Chavasse et lui adressa un large sourire.

— Alors, comment vous sentez-vous ?

Chavasse haussa les épaules.

— Je survivrai. J'en ai vu d'autres. Vous êtes russe ?

— Oui.

Il sortit un paquet de cigarettes de sa poche et lui en offrit une.

— Cela vous réchauffera un peu, commenta-t-il en lui donnant du feu.

Il avait environ trente-cinq ans et était plutôt grand, avec un visage fin et intelligent. Visiblement, ce n'était pas un militaire. Plutôt un intellectuel. Que diable pouvait-il bien faire dans une région aussi reculée du Tibet ?

— Pardonnez-moi, déclara-t-il, mais je crains de ne pas m'être encore présenté. Andrei Sergeievich Kurbsky, pour vous servir.

Chavasse grimaça.

— J'espère que vous ne vous en froisserez pas, mais je ne suis vraiment pas d'humeur à faire assaut d'amabilités avec vous.

— Je vous comprends aisément, répondit Kurbsky avec un éclat de rire jovial. Notre arrivée vous a pris complètement au dépourvu. Que voulez-vous, il y a des jours où on n'a vraiment pas de chance.

— À propos, que faites-vous ici et en pleine

nuit, par-dessus le marché ? questionna Chavasse. Je croyais que la région n'était pas sûre.

— J'étais en chemin pour me rendre à Changu, expliqua Kurbsky. Notre Jeep est tombée en panne et lorsque nous avons eu fini de réparer, la nuit était en train de tomber. La route était très mauvaise et, plutôt que de risquer un accident, j'ai décidé qu'il valait mieux attendre le jour pour repartir. Comme vous le voyez, le hasard est le seul responsable de notre rencontre.

Chavasse soupira.

— Ainsi, la lumière que nous avons vue, c'était vous.

Kurbsky hocha la tête.

— Vous avez interrompu notre dîner. Naturellement, nous avons éteint notre réchaud dès que votre avion est apparu. Il était visible que vous aviez l'intention d'atterrir et je ne voulais surtout pas vous en dissuader.

— Et dire que nous avons cru qu'il s'agissait d'un feu allumé par un berger !

— Ce sont les fortunes de la guerre, cher ami, déclara Kurbsky avec philosophie tout en ouvrant sa boîte à pharmacie. Maintenant, si vous le voulez bien, je vais examiner votre épaule.

— Une simple égratignure, répondit Chavasse. La balle a juste entaillé la chair, avant de ressortir.

Le Russe examina la blessure, puis la désinfecta et la pansa avec une dextérité de professionnel.

— On dirait que vous avez fait cela toute votre vie, commenta Chavasse.

Un large sourire éclaira le visage de Kurbsky.

— J'ai été correspondant de guerre en Corée. Une dure école.

— Et que faites-vous au Tibet ? s'enquit Chavasse. Êtes-vous venu faire un reportage sur les bienfaits que le nouveau régime a apporté aux pauvres paysans de ce pays ?

Le Russe haussa les épaules.

— Quelque chose de ce genre. J'effectue ce que vous pourriez appeler une enquête sur le terrain. J'appartiens à la rédaction de la *Pravda*, mais mes articles paraissent également dans d'autres journaux et magazines de l'Union soviétique. Vous savez, j'ai beaucoup de lecteurs.

— Je n'en doute pas.

— Cette petite aventure, poursuivit Kurbsky, va d'ailleurs me fournir un sujet fort intéressant. Trafic d'armes, atterrissage nocturne, un mystérieux Anglais... Tous les ingrédients pour écrire un papier sensationnel. Il est seulement dommage que vous ne soyez pas américain. Cela aurait été encore plus palpitant.

La flamme du réchaud à alcool vacillait dans le vent et se reflétait en arabesques sur son visage. Une lueur amusée et vaguement ironique brillait dans ses yeux.

Chavasse soupira. Bien qu'ils ne fussent pas du même bord, il ne pouvait s'empêcher d'éprouver une certaine sympathie pour le personnage.

— Que comptez-vous faire de moi ?

— Pour le moment, vous allez dîner, boire une tasse de café et dormir, dans la mesure du possible.

— Et demain ?

Le Russe haussa les épaules.

— Demain, nous irons à Changu et je vous remettrai entre les mains du colonel Li, le commandant militaire de cette région. À ce propos, ajouta-t-il en baissant la voix et en prenant un ton plus grave, si j'étais à votre place, je lui dirais tout ce que je sais, sans rien omettre. D'après ce qu'on m'a dit, c'est un homme avec lequel il vaut mieux ne pas trop plaisanter.

Ils restèrent silencieux pendant quelques instants, puis Kurbsky se donna une claque sur la cuisse.

— Dînons, maintenant.

Il fit un signe de la main et l'un des soldats leur apporta du café et une boîte de biscuits assortis.

— Vous me gâtez, commenta Chavasse. Vous n'allez pas me dire que l'armée de la République populaire traite de cette façon tous ses prisonniers.

Le Russe secoua la tête.

— Il s'agit de ma réserve personnelle. Je l'emporte toujours avec moi quand je voyage dans des contrées où l'on ne dispose pas encore de tous les bienfaits de la civilisation.

Chavasse but une gorgée de café. Il était bon. Excellent, même, et il émit un grognement approbateur.

— N'est-ce pas là une façon d'agir bourgeoise, pour ne pas dire rétrograde ? s'enquit-il avec ironie. Je conçois qu'un haut fonctionnaire de Sa Majesté britannique dîne en jaquette au fin fond de la brousse africaine, mais un journaliste soviétique, respectueux de la ligne du parti, devrait vivre en symbiose avec les populations qui lui font l'honneur de l'accueillir. Ici, par exemple, vous ne devriez boire que du thé salé au beurre rance.

Kurbsky s'esclaffa.

— J'ai toujours adoré l'humour anglais ! Au fait, à quoi ressemble Londres en ce moment ?

Chavasse hésita, puis il se dit que leur conversation avait au moins l'avantage de lui changer les idées.

— Quand je suis parti, le vent était à l'ouest et il pleuvait. Une petite pluie fine et froide, avec toutes les prémices d'un hiver typiquement anglais. Dans Regent's Park, il n'y avait plus une seule feuille aux arbres et cinq pacifistes s'étaient enchaînés aux grilles du 10 Downing Street pour protester contre la bombe atomique.

Kurbsky soupira.

— Il n'y a qu'à Londres qu'on peut voir des choses de ce genre ! Vous savez, j'étais dans votre belle capitale l'an dernier. Un soir, j'ai même réussi à obtenir une place pour aller voir Gielgud dans *La Cerisaie*. Il a un jeu vraiment remarquable — pour un Anglais qui joue du Tchekhov, naturellement. Ensuite, nous sommes allés souper au Saddle Room, chez Hélène Cordet.

— Je dois dire que, pour un Russe à l'étranger, vous connaissez les bonnes adresses, concéda Chavasse.

Kurbsky haussa les épaules.

— Pour mon travail, il est nécessaire que je me mêle à toutes les classes de votre société, même les plus hautes, ne serait-ce que pour mieux combattre les idées sur lesquelles est fondé le capitalisme.

— Un tel scrupule vous honore, murmura Chavasse. Néanmoins, je dois dire qu'aucun des autres journalistes russes que j'ai rencontrés ne professait un pareil intérêt pour nos mœurs et pour notre civilisation. En général, c'étaient plutôt des adeptes de la langue de bois marxiste-léniniste.

— Peut-être est-ce simplement parce que nous

n'avons pas évolué dans les mêmes cercles ? suggéra Kurbsky d'un ton accommodant.

L'un des soldats s'approcha d'eux pour les resservir en café.

— Il y a quelque chose qui m'intrigue, déclara Chavasse quand il fut retourné auprès du réchaud. Je croyais que la situation était plutôt tendue entre Moscou et Pékin. Comment se fait-il que les Chinois vous laissent vous promener en toute liberté dans leur province la plus jalousement gardée ?

— Nous avons des divergences de temps à autre. Rien de plus.

Chavasse secoua la tête.

— Allons, ce n'est pas à moi que vous pouvez tenir ce genre de discours ! Les gens comme vous se moquent volontiers de l'immaturité politique des Américains, mais, au moins, ils ont eu assez de bon sens pour se rendre compte avant le reste du monde que ce n'était pas l'URSS qui était le plus dangereux ennemi de la paix. La Chine est votre problème, tout autant que le nôtre. Khrouvtchev lui-même l'a reconnu.

Kurbsky soupira et secoua la tête.

— Ah, la politique et la religion ! Dès que l'on commence à en discuter, même les meilleurs amis finissent par se fâcher. Je pense que le moment est venu de nous coucher maintenant.

Malgré le sac de couchage que Kurbsky lui avait prêté, Chavasse avait froid. Son mal de tête avait encore empiré et il avait à nouveau une vague nausée.

Il souleva un coin de la toile de tente et jeta un coup d'œil dehors. Le réchaud à pétrole était toujours allumé et sa flamme vacillait dans le vent. L'un des soldats dormait, enveloppé dans une couverture en peau de mouton, tandis que son compagnon montait la garde, en faisant les cent pas pour ne pas risquer de s'assoupir. Ses bottes résonnaient sourdement sur le sol gelé.

Chavasse songea à Kurbsky et se remémora quelques-unes de ses réflexions. Un type sympathique et plein d'humour. En d'autres circonstances, ils auraient sans doute pu être amis.

Sur cette pensée, il s'assoupit et ne se réveilla qu'une heure plus tard. Il claquait des dents et son corps était trempé de sueur. Kurbsky était agenouillé à côté de lui, une tasse à la main.

— Vous n'avez pas besoin de vous inquiéter, déclara-t-il en l'aidant à s'asseoir. Il ne s'agit sans doute que d'un accès de fièvre des montagnes. Avalez cette pilule. Cela devrait vous faire du bien.

Les doigts tremblants, Chavasse prit la pilule et l'avala avec une gorgée de café froid.

Puis, frileusement, il remit ses bras dans son sac de couchage et s'efforça de sourire.

— Je me demande si ce ne serait pas plutôt une attaque de paludisme.

Kurbsky secoua la tête.

— Je ne pense pas. Vous verrez, demain matin vous vous sentirez beaucoup mieux.

Quand il fut sorti, Chavasse ferma les yeux et se dit que, décidément, la vie avait encore beaucoup de choses à lui apprendre. Le dernier Russe communiste avec lequel il avait eu un contact physique direct avait été un agent du SMERSH, juste avant que Khroutchev ne dissolve cette joyeuse association. Un homme qui, lui, ne traitait pas ses prisonniers avec du café et des petits gâteaux.

Kurbsky était-il l'exception qui confirmait la règle ? Peut-être, mais, en tout cas, ce n'était pas lui qui allait s'en plaindre. Au bout de quelques minutes, la pilule commença à faire son effet. Son mal de tête s'estompa et une délicieuse chaleur l'envahit doucement. Il tira sur sa tête le capuchon de son sac de couchage et sombra presque immédiatement dans un sommeil profond et réparateur.

Le bleu du ciel était d'une incroyable pureté, mais le vent était vif et glacial. Debout à côté de la Jeep, Chavasse regardait les soldats plier la tente et ranger leur matériel. Il était sans force et avait l'impression d'avoir dix ans de plus.

Kurbsky, lui aussi, paraissait plus âgé que la veille. Il avait les traits tirés et des poches sous les yeux, comme s'il avait mal dormi. Lorsqu'ils furent prêts à partir, il se retourna vers Chavasse et fit un bref signe de tête en direction de la Jeep. Il avait l'air presque gêné. Chavasse monta à l'arrière, sur le siège libre, à côté de l'affût de la mitrailleuse.

Devant eux, la steppe ondulait à perte de vue. L'herbe jaune et rase scintillait, comme si elle était parsemée d'une myriade de diamants et les roues de la Jeep tressautaient sur le sol gelé.

Au bout d'une demi-heure, ils parvinrent à la grande route que les Chinois ont construite en 1957, afin de faciliter l'acheminement des troupes depuis le Sin-kiang jusqu'à Yarkand, quand ils ont eu à faire face à la rébellion des Khambas.

— Une belle réussite, n'est-ce-pas ? commenta Kurbsky.

— Cela dépend de quel point de vue on se

place, répondit Chavasse. Je me demande combien de milliers de Tibétains sont morts en la construisant.

Une ombre assombrit le visage du journaliste russe. Il aboya un ordre bref en chinois et, laissant derrière elle la route déserte et quelque peu fantomatique, la Jeep poursuivit son chemin à travers la steppe.

Comme Kurbsky ne semblait plus être très enclin à bavarder, Chavasse s'enfonça dans son siège et regarda le paysage. À gauche, le plateau de l'Aksai Chin s'élevait lentement vers le ciel, au milieu la steppe et, à droite, très loin, les pics enneigés de la chaîne du Ladakh.

Ils montaient et descendaient laborieusement, en cahotant sur les pentes herbeuses. Après une dernière côte, ils débouchèrent dans une large plaine de sable et de gravier compactés par le temps. Aussitôt, leur chauffeur changea de vitesse et appuya à fond sur son accélérateur.

La Jeep prit de la vitesse et, tandis que le vent froid lui fouettait le visage, Chavasse commença à se sentir revivre. Au bout d'une longue ligne droite, ils ralentirent pour gravir une petite colline. Lorsqu'ils parvinrent à son sommet, un monastère apparut dans la vallée au-dessous d'eux.

En le voyant, Chavasse éprouva un choc presque physique et un espoir fou, mêlé à une étrange excitation, monta en lui.

— Allons-nous faire une halte ici ? questionna-t-il en se retournant avec une feinte nonchalance vers Kurbsky.

Le Russe hocha la tête.

— Oui, acquiesça-t-il. Je dois écrire une série d'articles sur le bouddhisme et ce monastère est l'un des seuls de cette région qui ne soit pas encore désaffecté. Ce n'est pas une pause d'une heure ou deux qui nous retardera beaucoup.

Chavasse dut faire un terrible effort sur lui-même pour ne pas laisser éclater sa jubilation, car ce monastère ne pouvait être que Yalung Gompa, le centre, selon Joro, de la résistance de toute la région. Le seul endroit où un Russe et deux soldats chinois n'avaient vraiment pas le droit de se fourvoyer. C'était le destin qui les avait conduits ici. Le destin qui, à nouveau, avait décidé de lui sourire. Un vague regret au fond du cœur, Chavasse se laissa aller en arrière et attendit.

La lamaserie était constituée de plusieurs bâtiments surmontés de toits en terrasses — des bâtiments plus étroits en haut qu'en bas. Ils étaient peints en ocre et en blanc. L'ensemble était clos par un grand mur et un portail à double battant était ouvert sur une vaste cour intérieure au fond de laquelle était édifié un chörten.

Des troupeaux de yaks et de chevaux tibétains paissaient sous les murs et un village de tentes noires était planté au bord du ruisseau qui coulait au pied du monastère.

Une scène empreinte de paix et de sérénité. Des colonnes de fumée blanche montaient vers le ciel et le vent était chargé d'une odeur un peu âcre qui rappela à Chavasse les feux de camp de son enfance.

Devant le portail, il y avait un attroupement d'une cinquantaine ou d'une soixantaine de personnes qui regardaient vers l'intérieur de la cour, comme s'ils attendaient quelque chose. Soudain, l'air se remplit de battements sourds et profonds qui se répercutèrent à l'infini sur les parois de la vallée.

— Regardez ! s'exclama Kurbsky d'une voix tout excitée. Là-haut, sur les toits. Il y a un moine qui souffle dans un radong ! D'après ce que j'ai entendu dire, le son de cet instrument porte très loin et sert de signal, un peu comme nos cloches en Europe, autrefois.

Les gens rassemblés devant le portail se retournèrent vers eux. C'étaient, pour la plupart, des bergers, de rudes montagnards vêtus de shubas en peau de mouton. Certains d'entre eux arboraient des poignards à leur ceinture. Leurs regards étaient ouvertement hostiles et le soldat chinois qui était chargé de la mitrailleuse vérifia son arme à la hâte et la mit en batterie. Le chauffeur ralentit pour changer de vitesse et la foule s'écarta afin de laisser passer la Jeep.

Une cérémonie était en train de se dérouler au milieu de la cour. Le spectacle était si magnifique que Chavasse en oublia pendant quelques instants la précarité de la situation dans laquelle il se trouvait.

Il s'agissait d'une sorte de danse à caractère religieux. Les lamas étaient vêtus de longues robes en soie, bleues, rouges ou vertes, et portaient d'énormes masques de démons, hideux et bariolés. Ils tourbillonnaient et exécutaient des figures compliquées en agitant de grands sabres au-dessus de leur tête.

— Quelle chance ! s'exclama Kurbsky, les yeux brillants d'excitation. J'ai déjà entendu parler de cette cérémonie. Très peu d'étrangers ont eu la chance d'y assister. La déroute et la chute du roi des enfers.

Il ouvrit son sac à dos, sortit un appareil photo

et commença à prendre des clichés — avec toute la hâte d'un photographe professionnel. Chavasse, de son côté, éprouvait une étrange fascination. Il allait se passer quelque chose. Il le pressentait. Puis, tout d'un coup, une sorte d'ivresse l'envahit. Il avait la tête légère et, à nouveau, une vague nausée.

Les démons tournaient de plus en plus vite. Ils bondissaient dans les airs et, à chacun de leurs bonds, les os humains qu'ils portaient autour de leur taille s'entrechoquaient et tintaient lugubrement. Le rythme des conques et des tambours était devenu presque frénétique. Complètement hypnotisé par le spectacle, le soldat à côté de Chavasse s'était appuyé sur sa mitrailleuse et regardait, les yeux écarquillés et la bouche ouverte.

Soudain, Chavasse se rendit compte que les démons étaient en train d'encercler la Jeep. Ils se rapprochaient, lentement, mais sûrement. Les bergers étaient entrés dans la cour et, eux aussi, se rapprochaient. D'une façon presque insensible.

Kurbsky et ses hommes n'avaient rien remarqué. Le journaliste russe était tout entier accaparé par ses photos et si, une fois ou deux, il avait juré, c'était seulement parce qu'il était arrivé au bout de sa pellicule. Il avait rechargé à la hâte et avait repris aussitôt son inoffensif mitraillage.

Chavasse, lui, avait gardé les yeux fixés sur le démon qui dirigeait la manœuvre d'encerclement. Sa robe était écarlate, avec un masque bleu, rouge et or et une fausse barbe en crins de cheval.

Le sabre qu'il tenait à deux mains étincelait à chacun de ses mouvements. Brusquement, il se retrouva le dos contre la Jeep. Il pivota et son sabre s'abattit comme un éclair. Le soldat qui servait la mitrailleuse n'eut même pas le temps de pousser un cri. Sa tête roula sur les genoux de Chavasse et son corps s'affaissa sur le côté, comme un pantin désarticulé.

Ensuite, il y eut un moment de silence total, presque irréel, puis un rugissement s'éleva de la foule et ce fut la ruée. Le démon qui avait tué le mitrailleur arracha son masque et le visage de Joro apparut. Le visage froid et dur d'un tueur.

Le chauffeur n'eut que le temps de pousser un hurlement, avant d'être arraché de son volant. Debout à côté de lui, Kurbsky s'était figé, son appareil de photo à la main. Son visage était d'une pâleur mortelle. Il jeta un bref coup d'œil vers Chavasse. Le coup d'œil terrible d'un homme qui se sait perdu. Puis, lui aussi, il fut arraché de son siège.

Jeté à terre une première fois, il réussit à se relever, le visage en sang et les vêtements couverts de poussière, mais, presque aussitôt, la foule l'enveloppa et l'absorba, comme une vague qui se referme sur un marin tombé à l'eau.

Chavasse poussa un cri et, instinctivement, sauta de la Jeep et se précipita à son secours à travers la marée humaine qui avait engouffré le malheureux journaliste.

Des visages se retournèrent vers lui, aveuglés par la haine et par la passion. Des mains s'accrochèrent à ses vêtements. Il enfonça son poing dans un sourire hideux et édenté, puis un coup violent s'abattit sur sa tête et il sombra dans un puits noir et sans fond.

CHAPITRE SEPT

Il ouvrit les yeux lentement. Où était-il ? Que s'était-il passé ? Non sans peine, il se redressa sur un coude et éprouva un bref moment de panique.

Il était allongé sur un lit étroit, dans une pièce sombre et sans fenêtre. Une lampe à beurre était suspendue au bout d'une chaîne, au milieu du plafond, et, à la lueur vacillante de sa flamme, tous les dieux et démons du panthéon bouddhiste se pourchassaient sur les vénérables tentures qui tapissaient les murs.

Leurs visages grotesques et inquiétants le regardaient fixement dans la pénombre et il referma les yeux pour ne plus les voir. Alors que, peu à peu, il revenait à la réalité, une voix basse et monocorde lui parvint. Quand il rouvrit les yeux, il se rendit compte qu'un moine était assis dans un coin, à quelques pas de lui. Il priait en faisant glisser une sorte de chapelet entre ses doigts.

Lorsque Chavasse remua, le moine s'arrêta de prier et s'avança vers lui. Il avait l'air très âgé et son visage parcheminé était sillonné par une multitude de petites rides.

D'une manière inattendue, il sourit et, soulevant un coin de la tenture à côté du lit, il sortit de la chambre.

Chavasse se sentait complètement reposé et son mal de tête avait disparu. Repoussant la couverture en peau de mouton, il mit un pied par terre et se leva. À cet instant, la tenture se souleva de nouveau et Joro entra.

Le Tibétain souriait. Il était vêtu d'une longue tunique brune et d'une shuba, comme dans l'avion. L'autre Joro, celui qui avait porté le masque du roi des enfers, aurait pu ne jamais avoir existé.

— Comment vous sentez-vous ? questionnat-il d'un ton aimable.

— Tout bien considéré, plutôt bien, répondit Chavasse. Je ne sais vraiment pas ce qui m'a poussé à agir d'une façon si absurde. Je pense que j'ai dû avoir un accès de fièvre.

— C'était le mal des montagnes, rien de plus. Sous son emprise, il arrive que l'on fasse des choses bizarres. Pendant que vous dormiez, le moine apothicaire vous a donné un médicament à base de plantes.

— La scène que vous avez jouée dans la cour était bien montée, fit observer Chavasse.

Joro haussa les épaules avec modestie.

— Nous étions obligés d'être prudents — à cause de la mitrailleuse. Je suis content que mon petit stratagème ait aussi bien réussi. J'ai dû marcher pendant presque toute la nuit pour arriver ici à temps. Je savais qu'ils vous emmèneraient à Changu et ils devaient donc obligatoirement passer par ce monastère.

— Qu'est-il arrivé au Russe ? Est-il mort ?

Joro hocha la tête.

— Oui, bien sûr. Pour les gens de mon peuple, les Russes et les Chinois sont simplement l'avers et le revers d'une même pièce. Voici votre Walther. Je l'ai trouvé dans sa poche.

Chavasse soupira.

— Ce n'était pas un mauvais homme, murmura-t-il avec une pointe de regret.

— Peut-être, concéda Joro, mais pour moi c'était un ennemi et nous sommes en guerre. C'est aussi simple que cela. De toute façon, même si je l'avais voulu, je n'aurais pu empêcher qu'il soit massacré. J'ai déjà eu assez de mal à vous sauver.

— Je vous remercie de tout ce que vous avez fait pour moi.

Joro secoua la tête.

— Vous n'avez pas à me remercier. J'avais une dette envers vous. Au lac, c'est votre rapidité qui m'a sauvé la vie.

— Vous avez trouvé les armes, je suppose ? s'enquit Chavasse. Elles étaient à l'arrière de la Jeep.

— Oui, acquiesça Joro. Mes hommes sont en train de se familiariser avec elles dans la pièce voisine. Pourquoi n'irions-nous pas les rejoindre ? Il y a du feu et du thé. Du thé tibétain, hélas, mais il est temps que vous vous y habituiez.

Il souleva la tenture et Chavasse le suivit dans une salle beaucoup plus vaste, avec un plafond bas, grossièrement enduit de plâtre, des fenêtres minuscules et placées très haut, presque comme des soupiraux. Les armes étaient posées sur une grande table en bois et trois Tibétains étaient en train de les démonter et de les nettoyer.

— Ils ont l'air de connaître leur travail, commenta Chavasse.

Joro hocha la tête.

— Ils apprennent vite. Les Chinois ne tarderont pas à le découvrir. À leurs dépens.

Un feu de bouses de yak séchées crépitait dans la grande cheminée de pierre. Joro émietta une poignée de thé en brique dans un chaudron d'eau bouillante, rajouta du beurre et une pincée de sel.

— Vous n'auriez pas une cigarette, par hasard ? questionna Chavasse.

— Si.

D'un geste du menton, le Tibétain lui indiqua l'autre côté de la table.

— L'un de mes hommes a vidé les poches du Russe. Toutes ses affaires sont là. Il y a, je crois, trois ou quatre paquets de cigarettes.

Chavasse s'approcha de la table et regarda le petit tas d'objets hétéroclites. Voilà donc tout ce qu'il restait d'un homme. Un portefeuille, des laissez-passer, des notes de voyage, un peigne, trois paquets de cigarettes...

Il en alluma une lentement, puis il prit les papiers et le portefeuille et alla s'asseoir sur un banc en bois devant la cheminée.

Le portefeuille contenait une liasse de billets de banque chinois, deux ou trois lettres écrites en russe et une carte d'un club de presse moscovite. Il n'y avait aucune photo de femme ou d'enfants, et Chavasse, la conscience étrangement plus légère, reporta son attention sur les autres papiers.

Il y avait le permis de séjour habituel, plus un

114

visa spécial pour le Tibet, daté-tamponné de Pékin et contresigné par le gouverneur militaire de Lhassa. Ils étaient tachés de sang et déchirés par un coup de couteau, mais le visage sur la photo d'identité était intact.

Les yeux fixés sur les papiers, Chavasse était tellement absorbé dans ses pensées que lorsque Joro lui annonça que le thé était prêt, il prit la tasse qu'il lui tendait et en but le contenu sans même prêter attention à ce qu'il buvait.

— Comment le trouvez-vous ? s'enquit Joro avec un sourire narquois. Je veux parler du thé, bien entendu.

Chavasse regarda sa tasse vide en fronçant les sourcils, puis un large sourire barra son visage.

— Il est passé sans même que je m'en aperçoive. Donnez m'en un autre, afin que je puisse vous donner mon avis.

Le breuvage était rafraîchissant et pas aussi mauvais qu'il l'avait craint.

— Ça se laisse boire, murmura-t-il en allumant une autre cigarette. À quelle distance sommes-nous de Changu ?

— Cent cinquante kilomètres environ, répondit Joro. Deux jours de cheval. Pour un cavalier entraîné et résistant.

— Et si nous y allions avec la Jeep ?

— Ce n'est pas possible, déclara Joro. Il y a au moins deux cents hommes stationnés là-bas et ils effectuent régulièrement des patrouilles dans les alentours. Si nous tentons d'approcher de la ville en Jeep, nous serons arrêtés presque à coup sûr.

— Nous pourrions passer directement par la route.

Joro le considéra d'un air perplexe.

— Par la route ? répéta-t-il. Comment vous en tirerez-vous si vous rencontrez un barrage ?

— D'une façon toute simple. En déclarant que je m'appelle Andrei Sergeievich Kurbsky, un journaliste qui visite le Tibet avec un visa du Comité Central de Pékin. Au fait, il se trouve que je parle le russe à la perfection.

— Et les soldats qui vous escortaient ?

— Assassinés par des bandits qui ont attaqué notre camp au milieu de la nuit. Vous pourriez être un guide que j'aurais engagé à Lhassa. Vous m'auriez sauvé la vie. Par exemple, en disant à mes agresseurs que j'étais un personnage important et qu'ils pouvaient espérer obtenir une forte rançon en échange de ma liberté.

Joro hocha la tête lentement.

— Je vois. Et nous aurions profité du sommeil des bandits pour nous échapper avec la Jeep, après avoir tué l'homme qui nous surveillait.

Chavasse sourit.

— Vous m'avez parfaitement compris.

— Oui, mais il y a un détail que vous avez oublié. Les papiers du Russe. Ils comportent sa photo d'identité.

Chavasse prit les papiers et les jeta dans le feu. Les documents noircirent et se recroquevillèrent. Pendant un bref instant, Kurbsky le regarda une dernière fois, puis son visage disparut dans un tourbillon de flammes bleues et jaunes.

— Disons que les bandits ont vidé mes poches, suggéra Chavasse. Une autre objection ?

Joro secoua la tête.

— Rien, si ce n'est que cela sera très dangereux. Il y a peut-être un point en notre faveur. L'un de mes hommes est arrivé de Changu la nuit dernière. Apparemment, le colonel Li est parti

116

effectuer une inspection des garnisons isolées dans la montagne. Il devrait ne revenir que dans plusieurs jours. En son absence, c'est un officier jeune et inexpérimenté qui le remplace. Le capitaine Tsen.

— Excellent ! s'exclama Chavasse. Il demandera sans doute des renseignements par radio à Lhassa, mais là-bas, le quartier général ne pourra que confirmer l'existence de Kurbsky et regretter qu'un camarade russe ait subi une aussi désagréable mésaventure.

— Admettons que vous ayez réussi à convaincre Tsen. Quelle est la suite des opérations ?

Avant de répondre, Chavasse réfléchit pendant une seconde ou deux.

— Kurbsky était un journaliste en quête d'histoires à raconter à ses lecteurs. Pourquoi sa visite à Changu n'aurait-elle pas pour but d'aller interviewer le bon docteur Hoffner ?

Le Tibétain sourit brusquement et ses yeux se mirent à pétiller.

— Ce serait vraiment un bon tour à jouer aux Chinois ! Le docteur Hoffner accepterait peut-être même de vous héberger chez lui pendant votre séjour à Changu.

Puis, tout aussi soudainement, son visage redevint grave.

— Cependant, poursuivit-il, il faudra mener l'affaire rondement et, surtout, ne pas attendre le retour du colonel Li. Ce n'est pas un homme à qui l'on peut facilement donner le change. Je vous le garantis !

— Alors, plus tôt nous serons partis et mieux cela vaudra.

Laissant Joro donner ses consignes à ses hommes, il sortit de la pièce et se retrouva en haut d'un escalier de pierre qui donnait sur la cour poussiéreuse du monastère.

Maintenant tout était paisible et il n'y avait plus personne, hormis une rangée de moines qui priaient, assis le long d'un mur. Leurs incantations n'étaient qu'un murmure lent et monotone qui troublait à peine la quiétude de l'atmosphère.

Il semblait incroyable que la mort ait pu visiter cet endroit quelques heures à peine auparavant. Et pourtant, alors qu'il dirigeait ses pas vers la Jeep, il passa à côté de larges mares de sang que la poussière n'avait pas encore totalement absorbées.

Il s'assit au volant de la Jeep, alluma une cigarette et songea à la brièveté de la vie. Cinq mille ans plus tôt, un prophète de l'Ancien Testament avait déjà, en une seule phrase, parfaitement décrit toute la vanité de la condition humaine : chaque chose arrive en son temps et aucun homme n'échappe à son destin.

Au cours de sa vie, Kurbsky avait affronté les pires dangers et il avait fallu que la mort vienne le chercher dans cette cour poussiéreuse, à mille lieues de toute civilisation et au moment où il s'y attendait le moins.

Chavasse frissonna involontairement. Une telle pensée avait de quoi troubler la plus belle assurance et il y songeait encore lorsque Joro le rejoignit quelques minutes plus tard.

— Vous pouvez démarrer, déclara le Tibétain en montant à côté de lui.

Chavasse hocha la tête.

— À la grâce de Dieu !

Ils quittèrent le monastère et empruntèrent une piste sinueuse qui, autrefois, était utilisée par les caravanes de la soie. Une piste qui, maintenant, était défoncée par le passage des lourds véhicules militaires chinois.

De temps à autre, ils rencontrèrent des bergers accompagnés de leurs troupeaux et, une fois, ils doublèrent une longue caravane de yaks et de mules lourdement chargés.

Presque quatre heures après avoir quitté Yalung Gompa, Chavasse s'arrêta et posa la main sur l'épaule de Joro qui s'était assoupi, la tête appuyée contre l'affût de la mitrailleuse.

Changu était bâtie au bord d'une rivière, dans une vallée large et peu profonde. Ses maisons à toits plats s'étageaient sur la rive opposée et étaient dominées par les bâtiments d'un imposant monastère qui occupait tout le centre de l'ancienne cité fortifiée. Ses murs peints en rouge, en vert et en noir étincelaient dans la lumière du soleil.

— Le monastère est-il encore habité par des moines ? questionna Chavasse tout en repassant en première pour descendre la pente escarpée qui conduisait à la porte de la ville.

— Non, répondit Joro. Le colonel Li l'a réquisitionné et y a installé son quartier général. Presque tous les monastères du Tibet ont été désaffectés et leurs moines massacrés ou dispersés. Si Yalung Gompa a été épargné, c'est seulement parce qu'il est isolé et situé dans une région mal contrôlée par les Chinois.

Des tentes de bergers, maintenant si familières à Chavasse, se groupaient le long de la rivière et autour des points d'eau. Sur la route, des gens allaient et venaient, à pied ou juchés sur des mules ou sur des petits chevaux tibétains. Au passage de la Jeep, ils s'écartaient prudemment en regardant ses occupants avec un mélange d'hostilité et de curiosité.

Chavasse roulait vite et il ralentit à peine pour franchir la porte monumentale qui donnait accès à la ville fortifiée. Juste à l'intérieur, à côté d'une guérite d'un blanc incongru, trois soldats jouaient aux dés, accroupis dans la poussière.

— On voit bien que le colonel Li n'est pas là, commenta Joro.

Les soldats les regardèrent d'un air héberlué et n'eurent même pas le réflexe de se mettre en travers de la route pour les arrêter.

Moteur rugissant et klaxon bloqué, la Jeep remonta la rue principale en éparpillant devant elle les gens et les animaux qui l'encombraient.

Le portail du monastère était ouvert. Chavasse s'engouffra dans la cour et freina brutalement, avec toute l'arrogance d'un homme sûr de son droit et de ses prérogatives.

Un soldat était en faction à côté de l'entrée du bâtiment qui hébergeait le quartier général de la garnison. Il devait somnoler à moitié, car il se redressa brusquement et saisit son pistolet-mitrailleur.

— Dois-je venir avec vous ? s'enquit Joro.

Chavasse secoua la tête.

— Non, il vaut mieux que tu restes ici. Ainsi, tu auras au moins une chance de t'en sortir si jamais les choses venaient à mal tourner pour moi.

Ouvrant sa portière, il mit pied à terre et, tout en allumant une des cigarettes de Kurbsky, il se dirigea vers la sentinelle d'un pas décidé.

— Conduisez-moi immédiatement auprès du

colonel Li ! ordonna-t-il en chinois. Je n'ai pas de temps à perdre !

Impressionné par son ton péremptoire, l'homme se mit au garde-à-vous et lui expliqua avec précipitation que le colonel n'était pas là, mais que le capitaine Tsen, son adjoint, était dans son bureau et qu'il accepterait sans doute de le recevoir.

Ils suivirent un long couloir dallé de pierre, montèrent quelques marches, puis parcoururent un autre couloir dont le sol, cette fois-ci, était en bois. Tout au bout, le soldat ouvrit une porte et s'effaça respectueusement pour laisser passer Chavasse.

Un jeune caporal au visage grave et studieux était assis derrière un bureau. Il leva la tête et, en découvrant Chavasse, ses yeux s'écarquillèrent de surprise.

— Que... qui êtes-vous ? bredouilla-t-il en se levant avec précipitation.

— Où est le capitaine Tsen ? demanda Chavasse d'une voix vibrante de colère.

Le caporal ouvrit la bouche pour répondre, mais la referma aussitôt et jeta un coup d'œil craintif vers la porte derrière lui.

Sans attendre son autorisation, Chavasse le contourna et entra dans le bureau de l'adjoint du colonel Li.

Le capitaine Tsen ne devait guère avoir plus de vingt-cinq ans. Surpris par une telle intrusion, il se leva brusquement, l'air éberlué, et Chavasse vit qu'il mesurait à peine un mètre cinquante.

— Vous êtes le capitaine Tsen ? Seigneur Dieu, c'est la première fois que je vois un pareil laisser-aller dans une garnison militaire ! Des gardes qui jouent aux dés à l'entrée de la ville, des sentinelles qui dorment pendant leur faction... Tout cela pendant que des rebelles dévalisent les voyageurs et assassinent vos propres hommes en toute impunité !

Le premier moment de surprise passé, l'officier tenta d'affirmer son autorité. Il se redressa, boutonna son col et interpella le caporal qui était sur le pas de la porte.

— Qu'est-ce que cela signifie ? Qui est cet homme ?

— Qui je suis ? s'exclama Chavasse. Je m'appelle Kurbsky. Lhassa ne vous a-t-il pas prévenu par radio de mon arrivée ?

— Kurbsky ? répéta Tsen. Je ne vois vraiment pas...

— Je suis journaliste ! l'interrompit Chavasse, le visage rouge de fureur. Mon journal, la *Pravda*, m'a envoyé au Tibet afin d'y effectuer un reportage sur les bienfaits que le communisme a apportés aux populations locales. Je vais avoir une belle histoire à raconter à mes lecteurs, je vous le dis ! Retenu prisonnier par de dangereux bandits armés, les soldats qui m'escortaient assassinés ! J'imagine déjà les gros titres en première page. Je ne sais pas qui est supposé maintenir l'ordre dans cette région, mais vous pouvez être sûr que lorsque le Comité central de Pékin entendra la nouvelle, des têtes vont tomber !

Au fur et à mesure qu'il parlait, le capitaine Tsen avait pâli.

— Je vous en prie, asseyez-vous, murmura-t-il en lui avançant une chaise avec empressement. Pardonnez-moi, je ne savais pas qui vous étiez.

Chavasse s'assit et son visage se détendit légèrement.

— J'espère que vous avez au moins un cordial à m'offrir ? Quelque chose de fort. J'en ai besoin.

Tsen se retourna vers le caporal qui alla jusqu'à un petit meuble bas et revint avec une bouteille et un verre qu'il remplit à la hâte.

Chavasse but une gorgée et faillit s'étouffer.

— Bon Dieu, c'est de l'alcool à brûler, votre tord-boyaux !

Tsen consentit à sourire — un sourire un peu contraint — et contourna son bureau pour se rasseoir dans son fauteuil.

— Pourrais-je voir vos papiers, camarade Kurbsky ?

— Mes papiers ? s'exclama Chavasse. Seigneur Dieu, vos maudits rebelles m'ont tout pris ! Ils ne m'ont même pas laissé un seul yuan. J'ai encore eu de la chance de pouvoir arriver ici sain et sauf. Si vous avez un doute quant à mon identité, vous n'avez qu'à appeler Lhassa à la radio. Ils vous donneront tous les renseignements que vous voudrez à mon sujet.

Le capitaine Tsen hocha la tête avec compréhension.

— Rien ne presse, camarade. En attendant, vous pourriez peut-être me faire un compte rendu de ce qui vous est arrivé ?

En quelques phrases rapides, Chavasse lui raconta l'histoire qu'il avait mise au point avec Joro.

Quand il eut terminé, Tsen hocha à nouveau la tête.

— Je vois. Ce Tibétain qui vous a sauvé est-il encore avec vous ?

— Oui, acquiesça Chavasse. Il est dehors, dans ma Jeep, mais, surtout, n'allez pas en faire un héros. Il m'a aidé seulement parce qu'il savait de quel côté se trouvait son intérêt. Tous ces Tibétains ne sont que des voleurs et des bandits ! Croyez-moi, capitaine, il n'y a qu'une seule façon pour résoudre votre problème dans ce pays : le knout ! Seule une poigne de fer pourra avoir raison de ces rustres superstitieux et illettrés !

Le capitaine Tsen grimaça un sourire approbateur.

— Je suis tout à fait d'accord avec vous, camarade, mais, pour le moment, le Comité central de Pékin nous a ordonné d'employer des méthodes moins brutales — dans la mesure du possible, bien entendu.

Chavasse haussa les épaules et se leva nerveusement.

— Ah, ces politiciens ! Ils sont tous les mêmes. Que leur importe la mort de quelques soldats, pourvu que leur carrière n'en soit pas affectée ? Enfin, si vous me le permettez, je vais me retirer, maintenant. Pour le moment, je n'ai plus envie que de deux choses : un bon bain, bien chaud, et un vrai repas, préparé par des gens civilisés.

Le capitaine Tsen le considéra d'un air ébahi.

— Mais, où comptez-vous aller ? Il n'y aucun hôtel convenable à Changu. Ne désirez-vous pas que je vous fasse préparer une chambre ici ?

Chavasse se détendit légèrement.

— C'est très gentil à vous, capitaine, mais j'avais espéré que le Dr Hoffner accepterait de m'héberger. Après tout, c'est lui que je suis venu voir.

Le visage de Tsen s'illumina.

— Ah, je comprends enfin la raison de votre voyage ici ! Vous êtes venu interviewer notre bon docteur afin de faire un reportage sur lui dans votre journal !

124

— Vous avez deviné juste, acquiesça Chavasse avec complaisance. J'ai entendu parler du Dr Hoffner à Lhassa et il m'a semblé être un homme tout à fait extraordinaire.

— Sa réputation n'est pas usurpée, camarade, affirma Tsen avec conviction. Les paysans le vénèrent presque comme un saint et l'œuvre admirable qu'il accomplit chaque jour aide énormément notre cause. Je vais vous conduire moi-même chez lui, ajouta-t-il en se levant et en se coiffant de sa casquette.

Malgré lui, Chavasse ne put s'empêcher de froncer les sourcils.

— N'a-t-il donc émis aucune réserve sur votre présence ici ?

— Au contraire ! Notre bon docteur est un humaniste qui partage nombre de nos idées, même s'il ne s'est jamais engagé dans la politique. C'est un grand ami du colonel Li. Ils jouent régulièrement aux échecs ensemble.

Dans le bureau voisin, il s'arrêta et donna quelques ordres brefs au caporal qui, aussitôt, prit sa casquette et sortit à la hâte.

— Je lui ai demandé d'aller annoncer notre arrivée à la camarade Stranoff, expliqua-t-il.

— La camarade Stranoff ? répéta Chavasse en le suivant.

— La gouvernante du Dr Hoffner. Son père était russe et sa mère chinoise. Une femme admirable.

Il y avait eu une brusque chaleur dans sa voix et Chavasse réprima avec peine un sourire.

— Je serai très heureux de faire sa connaissance.

Dans la cour, il adressa un bref hochement de tête à Joro. Le Tibétain resta imperturbable et monta à l'arrière pour laisser sa place à Tsen. Quelques secondes plus tard, ils quittaient l'ancien monastère et s'engageaient dans les rues étroites et sinueuses de la vieille ville fortifiée.

Dans les boutiques, sur les trottoirs ou à même la chaussée se côtoyaient cent petits métiers dans un décor médiéval. Marchands de tapis, cordonniers, bourreliers, orfèvres... Les cris, les odeurs, les costumes bariolés, on aurait pu se croire revenu mille ans en arrière.

Fidèle à son personnage, Chavasse klaxonnait pour se frayer un passage et les gens s'écartaient avec précipitation, tout en jetant vers eux des regards résignés et hostiles.

La maison de Hoffner était l'une des plus grandes de la ville. Trois étages, un toit en terrasse et, tout autour, un grand mur de pierre peint à la chaux. Suivant les directives de Tsen, Chavasse entra par le portail et s'arrêta devant le perron.

À l'instant où ils mettaient pied à terre, la porte d'entrée s'ouvrit. Une jeune femme apparut, silhouette légère et fragile, et descendit les marches pour venir à leur rencontre.

Elle portait un pantalon de soie noire et une chemise boutonnée jusqu'en haut du col, à la mode russe. Ses cheveux étaient plutôt clairs, mais elle avait ce teint velouté, presque crémeux, qui donne aux Eurasiennes un charme si particulier.

Le regard de Chavasse s'arrêta sur ses lèvres. Des lèvres pleines et sensuelles qui semblaient n'avoir été faites que pour être embrassées.

Une beauté simple et sans artifice, presque irréelle, tant elle tendait vers la perfection. D'une manière étrange, il frissonna comme si, tout au fond de lui, quelque chose — un sixième sens ? — essayait de le mettre en garde. Contre lui-même ou contre cette magnifique créature ? Il n'aurait su le dire.

Elle resta immobile pendant quelques instants, puis elle sourit et il eut l'impression que son visage s'illuminait.

— Soyez le bienvenu, déclara-t-elle en russe.

Il avait la bouche affreusement sèche.

— Merci, murmura-t-il simplement. C'est une joie merveilleuse que d'être accueilli par une compatriote dans un pays où tout vous est étranger.

CHAPITRE HUIT

La chambre était à l'évidence l'une des plus belles de la maison. Les murs étaient enduits de plâtre peint et des tapis en laine étaient éparpillés sur le parquet ciré. Mais, surtout, le lit était vaste et avait l'air très confortable.

Une grande baignoire en bois avait été installée devant la cheminée. Immergé dans l'eau chaude jusqu'au cou, Chavasse fumait l'une de ses cigarettes russes et songeait à Katya Stranoff.

C'était une femme vraiment superbe, mais il allait devoir jouer serré. Très serré. À première vue, elle avait été contente de le voir, sans doute parce que l'élément russe était prédominant dans sa personnalité et qu'elle se considérait comme étant une Occidentale, plus ou moins en exil dans un pays dont les mœurs et les coutumes lui étaient étrangères.

Fugitivement, il se demanda quelles relations masculines elle pouvait avoir trouvées dans une ville comme Changu. Hoffner était bien trop âgé pour elle, mais le capitaine Tsen n'avait pas caché l'admiration qu'il lui portait et il restait encore le colonel Li, un personnage à propos duquel il n'avait eu, jusqu'à présent, que des informations fort inquiétantes.

La porte s'ouvrit et Joro entra. Il portait un ballot de linge qu'il posa sur une chaise avant de se retourner vers Chavasse.

— Mademoiselle Stranoff m'a demandé de vous apporter ces serviettes et ces vêtements propres, expliqua-t-il en s'accroupissant sur les talons, à la façon tibétaine.

— Je me demandais si tu allais réapparaître, déclara Chavasse. Es-tu bien traité, au moins ?

Joro hocha la tête.

— Je loge dans la cuisine. Il y fait chaud et c'est déjà mieux qu'une botte de paille dans l'écurie. Il y a eu beaucoup de changement depuis la dernière fois que je suis venu ici, ajouta-t-il avec un froncement de sourcils.

Chavasse saisit une grande serviette, sortit de l'eau et entreprit de se sécher.

— Que veux-tu dire par là ?

— Tous les domestiques que je connaissais sont partis, ce qui, en un sens, est une bonne chose. Ils ont été remplacés par un couple. La femme s'occupe de la cuisine et du ménage, et son mari sert d'homme à tout faire.

— En quoi cela devrait-il t'inquiéter ?

— Ils sont tous les deux chinois et n'aiment pas les Tibétains. Ils me l'ont déjà bien fait sentir.

— Penses-tu qu'ils travaillent pour le colonel Li ?

— Oui, répondit Joro sans la moindre hésitation. Naturellement, ce n'est pas une certitude absolue, mais, à votre place, je serais très prudent.

— Ne t'inquiète pas, le rassura Chavasse. J'ai l'habitude de ce genre de situation.

Posant sa serviette, il s'habilla avec les vêtements que Joro lui avait apportés. Il y avait une chemise russe en soie noire, un pantalon de ville bien coupé et un magnifique pull-over gris et blanc en laine mohair.

Il s'examina dans la glace, se donna un coup de peigne et se retourna vers Joro.

— Alors, de quoi ai-je l'air ?

Un large sourire barra le visage du Tibétain.

— Vous êtes très élégant. Je suis sûr qu'elle sera favorablement impressionnée.

— Espérons-le, murmura Chavasse. Son aide — ou au moins sa neutralité — ne nous sera pas inutile. Maintenant, tu ferais mieux de retourner à la cuisine. Je te verrai plus tard.

Alors qu'il descendait l'escalier, une porte s'ouvrit et Katya Stranoff apparut. En entendant le bruit de ses pas, elle s'arrêta au milieu du hall et leva les yeux vers lui. Des yeux qui étincelèrent dans la lumière de la lampe.

Elle s'était changée et portait maintenant une robe fourreau chinoise en satin mauve, parsemée de fleurs d'orchidées, tendres et délicates. Une robe très discrète, avec une encolure ras du cou et juste une petite fente sur le côté qui lui laissa entr'apercevoir le galbe parfait de ses jambes lorsqu'elle se retourna vers lui pour l'accueillir.

— Votre bain vous a transformé, commenta-t-elle. Je suis sûre qu'il ne vous manque plus qu'un verre de vodka et un bon repas pour vous sentir à nouveau vous-même.

— L'un et l'autre me seront agréables, répondit-il galamment, mais, d'abord, laissez-moi vous complimenter pour votre robe. Vous êtes absolument ravissante !

Il eut l'impression qu'elle avait rougi, mais il

n'y avait pas assez de lumière pour qu'il puisse en être certain.

Elle sourit et lui prit le bras gracieusement.

— Venez. Le Dr Hoffner est impatient de faire votre connaissance.

Elle ouvrit une porte et le fit entrer dans une pièce vaste et confortable. Tout autour, du sol au plafond, il n'y avait que des livres, des milliers de livres. Un feu de bois pétillait dans une grande cheminée à foyer ouvert et ses flammes orangées se réverbéraient sur le vernis d'un piano à queue qui, à lui seul, occupait tout un angle de la salle. Au centre, un couvert pour trois personnes avait été disposé sur une table en bois marqueté et ciré.

Un homme lisait, assis dans un fauteuil, au coin du feu. En entendant la porte s'ouvrir, il tourna la tête et se leva. Il était très grand et très large d'épaules, avec une épaisse toison de cheveux blancs et bouclés qui retombaient sur ses tempes et sur ses oreilles. Il portait une vieille veste en velours côtelé et une chemise à col ouvert, mais Chavasse fut surtout frappé par ses yeux. Des yeux sombres et profonds qui laissaient transparaître une infinie sérénité.

Une lueur intriguée y brilla fugitivement, accompagnée par un léger froncement de sourcils, mais fut presque aussitôt remplacée par un sourire aimable et chaleureux.

— C'est un grand plaisir de vous recevoir, camarade Kurbsky, déclara le Dr Hoffner en s'avançant la main tendue. Un très grand plaisir ! Vous savez, nous n'avons que bien peu de visites à Changu.

— Il y avait longtemps que je désirais vous rencontrer, murmura Chavasse en s'inclinant légèrement. Me permettez-vous de vous féliciter pour la perfection de votre russe ?

— C'est Katya que vous devez féliciter, pas moi, répondit Hoffner en jetant un coup d'œil affectueux à la jeune femme. Quand elle est arrivée ici, il y a un an, je ne connaissais pas un seul mot de votre belle langue.

Katya se leva sur la pointe des pieds et l'embrassa impulsivement sur la joue.

— Venez. Le dîner est prêt et nous pouvons nous mettre à table. Le camarade Kurbsky doit avoir très faim, après l'affreuse mésaventure qui lui est arrivée. Vous aurez tout le temps de parler lorsque nous nous serons restaurés.

Visiblement, elle avait pris beaucoup de peine pour donner à ce repas un éclat particulier. Il y avait des chandelles allumées sur la table et même un bouquet de fleurs. Naturellement, la cuisine était chinoise. Un potage au poulet et aux champignons noirs, du canard laqué avec du riz et, en dessert, des litchis au sirop. Il y avait même une bouteille de vin de Géorgie. Un vin blanc capiteux et fruité.

Lorsqu'il se leva de table, Hoffner soupira et secoua la tête.

— Je ne sais vraiment pas comment elle s'y prend, Kurbsky. Vraiment pas.

— Quel hypocrite ! s'exclama Katya en se penchant vers Chavasse. Chaque semaine, il laisse le pauvre colonel Li gagner une partie d'échecs et, après cela, notre cher ami est d'une humeur si exquise qu'il me donne tout ce que je lui demande.

— Le colonel Li est l'un des meilleurs joueurs d'échecs que j'aie jamais rencontrés, affirma Hoffner gravement. Il n'a besoin d'aucune aide pour me battre. Néanmoins, je dois dire qu'il se montre très généreux avec nous.

Ils allèrent s'asseoir devant le feu, tandis que Katya faisait du café sur un petit réchaud à alcool. Elle avait l'air encore plus séduisante avec les flammes qui se reflétaient dans ses cheveux blonds et, brusquement, Chavasse se détendit. Il avait presque l'impression d'être en famille.

Il alluma l'une de ses cigarettes russes et lorsqu'elle sentit l'odeur du tabac, la jeune femme poussa un long soupir.

— Cette odeur... Il n'y a rien ici qui lui ressemble. Elle me rappelle mon enfance et tous les êtres chers qui m'ont quittée.

— Vous en voulez une ?

Elle secoua la tête.

— Non, il vaut mieux que je m'en abstienne. Cela me manquerait trop lorsque vous serez parti.

Elle servit le café dans des petites tasses en porcelaine et lui en tendit une.

— Y a-t-il eu des changements à Moscou, ces derniers temps ?

Chavasse haussa les épaules.

— Dans les banlieues, il y a beaucoup de nouvelles constructions, mais, à part cela, rien n'a changé. À vrai dire, je dois vous avouer que je n'y fais jamais que de très brefs séjours. Je suis presque toujours à l'étranger.

— Vous devez avoir une vie passionnante, murmura-t-elle. Sans cesse de nouveaux pays, de nouveaux visages...

— Il y a des bons moments, concéda Chavasse. Malheureusement, je ne reste jamais assez longtemps au même endroit pour me familiariser vraiment avec le pays et les gens.

— Qu'est-ce qui vous a amené au Tibet, exactement ?

Il haussa les épaules.

— L'attrait de la démesure, de l'extrême, sans doute. Des montagnes gigantesques, un climat très rude, une population encore primitive... Avec de tels ingrédients, il est facile de passionner ses lecteurs, surtout si, en plus, on peut les tenir en haleine avec une belle histoire, pleine de suspense et de rebondissements.

— Vous en avez trouvé une ?

— Ma mésaventure d'hier, en la romançant un peu, devrait me fournir un excellent début. Et puis, je compte beaucoup sur notre cher docteur.

Hoffner, qui les avait écoutés tout en bourrant sa pipe, haussa un sourcil étonné.

— Je suis surpris que quelqu'un puisse encore s'intéresser à moi.

— Vous êtes trop modeste ! s'écria Katya. Savez-vous, poursuivit-elle en se retournant vers Chavasse, qu'en dépit de ses soixante-quatorze ans, il se rend encore tous les jours à son dispensaire ? Il a consacré toute sa vie aux gens de ce pays, alors qu'il aurait pu avoir une prestigieuse carrière universitaire en Europe ou en Amérique. Vous ne trouvez pas cela admirable ?

— Allons, ma chère, vous exagérez, protesta Hoffner. À vous entendre, je serais presque un saint, alors que je ne suis qu'un homme ordinaire, avec quelques qualités et beaucoup de défauts.

— Pourtant, c'est bien ainsi que les gens vous voient, affirma Chavasse. Partout, on vous considère comme un humaniste et un apôtre de la paix.

Hoffner soupira.

— Un apôtre de la paix ! Cela fait bien long-temps que j'ai renoncé à un tel rôle.

— Pourquoi donc ? s'étonna Chavasse.

— Pour une raison toute simple, répondit Hoffner en se penchant en avant et regardant fixement les flammes qui dansaient sur les bûches. Quand je suis arrivé ici, j'avais effective-ment beaucoup de prétentions. Je voulais soi-gner les âmes presque autant que les corps. Mais, très vite, je me suis rendu compte que je m'adres-sais à des gens qui possédaient une spiritualité et une douceur que nous ne pourrions même pas imaginer en Occident. Qu'aurais-je pu leur apprendre qu'ils ne savaient déjà ?

— Je vois ce que vous voulez dire, murmura Chavasse. Mais, alors, pourquoi êtes-vous resté ?

— D'abord, pour leur apporter l'aide médicale dont ils avaient besoin. Ensuite, pour essayer de les comprendre et devenir leur ami.

Chavasse hocha la tête.

— Pardonnez-moi de vous poser une question qui pourrait vous embarrasser, mais j'aimerais savoir si l'arrivée des Chinois vous a, d'une façon ou d'une autre, perturbé dans votre travail ?

— Non, affirma Hoffner sans la moindre hési-tation. En fait, ils m'ont même aidé et encouragé. Jamais mon dispensaire n'avait été plus fré-quenté que maintenant. Je ne suis pas autorisé à quitter les murs de la cité, mais c'est seulement pour ma propre protection. Comme vous avez pu le constater vous-même, la région n'est pas encore complètement pacifiée.

— Vous pensez donc que le changement de gouvernement a eu un effet bénéfique ?

— Sans aucun doute. Autrefois, par exemple, tous les médicaments dont j'avais besoin devaient venir de l'Inde ou du Pakistan par les caravanes.

— Et maintenant ?

— Le colonel Li me fournit tout ce que je désire, sans aucune restriction. Vous savez, avant l'arrivée des Chinois, ce pays vivait encore au Moyen Âge et les gens du peuple étaient presque tous illettrés. Tout cela est en train de changer. Grâce au communisme.

Chavasse souriait, mais, au fond de lui-même, il commençait à être inquiet, car Hoffner avait l'air de penser vraiment ce qu'il disait.

À cet instant, Katya se leva et sourit.

— Si vous voulez bien m'excuser, je vais vous laisser poursuivre votre conversation. Il faut que j'aille voir à la cuisine si tout est en ordre.

— Bien sûr, ma chère, acquiesça Hoffner en lui rendant son sourire.

— Une jeune femme remarquable, commenta Chavasse lorsque la porte se fut refermée sur elle.

Hoffner hocha la tête.

— Son père était un archéologue russe. Il travaillait pour le gouvernement chinois et avait été chargé de coordonner les fouilles de l'ancien palais impérial. Avant de rentrer à Moscou, il avait reçu l'autorisation de se rendre à Lhassa, mais il est mort brusquement, pendant le voyage. Une semaine après l'avoir enterré, Katya s'est jointe à une caravane et est arrivée ici.

— Et elle a décidé de rester ?

— Le colonel Li m'a demandé de l'héberger en attendant qu'une autre caravane puisse la conduire jusqu'à Yarkand. J'ai accepté, naturellement, mais, sur ces entrefaites, je suis tombé gravement malade. Pendant six mois, elle m'a soigné avec un très grand dévouement et a réussi à me rendre la santé. Depuis lors, la question de son départ n'a tout simplement pas été évoquée.

— C'est très émouvant, murmura Chavasse. Exactement le genre d'histoires que mes lecteurs adorent. Surtout mes lectrices. Dans l'ensemble, vous êtes donc tout à fait satisfait de la vie que vous menez ici ?

— Tout à fait ! affirma Hoffner en montrant d'un geste large la pièce autour d'eux. J'ai mes livres, mon piano et, chaque fois que je le peux, je vais rendre visite à mes malades au dispensaire. Que pourrais-je demander de plus ?

— Votre piano a tout de suite attiré mon regard, déclara Chavasse. Il est rare de trouver un pareil instrument dans un endroit aussi éloigné de toute civilisation. On m'a dit que vous étiez un véritable virtuose.

Hoffner sourit avec modestie.

— Je n'irais pas jusque-là, mais je dois dire que ce serait très dur pour moi si je devais renoncer à la musique. J'ai fait venir ce piano par caravane, avant la guerre. Il est assez ancien et son vernis est un peu écaillé, mais il a encore une très bonne sonorité.

Il se leva, alla s'asseoir sur le tabouret et souleva le couvercle du clavier.

— Vous voulez que je vous joue quelque chose ? questionna-t-il tout en laissant courir ses doigts distraitement sur les touches.

Chavasse était toujours devant la cheminée. Il alluma une autre cigarette, en prenant son temps, puis tira une longue bouffée de fumée.

— Oh, je ne sais pas, murmura-t-il enfin en anglais. Du Chopin, peut-être ? Un morceau, par exemple, qui serait en harmonie avec une chaude soirée de printemps à Cambridge.

Hoffner s'arrêta de jouer et, pendant quelques instants, un silence irréel envahit la pièce. Un silence troublé seulement par le murmure du vent dans les frondaisons des arbres du jardin.

— Je savais qu'il y avait quelque chose qui clochait dans votre personnage, répondit-il, également en anglais. Je l'ai tout de suite senti.

— Il y a un mois ou deux, expliqua Chavasse, vous avez envoyé une lettre à un vieil ami. Je suis, en quelque sorte, sa réponse.

— Ainsi, Joro a réussi à passer au Cachemire ? Chavasse hocha la tête.

— Il est en bas, dans la cuisine. C'est le Tibétain qui est supposé m'avoir sauvé la vie. Vous pourrez le voir plus tard, si vous le désirez.

— Ne m'avez-vous pas parlé de Chopin et d'une certaine soirée de printemps à Cambridge ?

— Si. Il y a longtemps, quand vous étiez encore étudiant, vous avez été amoureux d'une jeune fille. Edwin Craig était votre rival. Un soir, alors qu'elle était assise dans le parc et que vous étiez avec Craig, dans sa chambre, vous avez fait un pari. Celui qui le gagnerait aurait le privilège d'être le premier à aller lui déclarer sa flamme. Vous avez gagné le pari, mais perdu la fille. Ensuite, alors qu'ils étaient tous les deux ensemble sur le banc, vous avez joué du piano.

Hoffner soupira.

— Parfois, murmura-t-il, j'ai l'impression que c'était hier. Il avait plu le matin et l'air embaumait le lilas. Je me souviens même encore du morceau que j'ai joué...

Ses mains se posèrent sur le clavier et il joua

les premiers accords d'une polonaise, mais Chavasse secoua la tête.

— Je crains que vous ne vous trompiez, Docteur. Il s'agissait de la *Sonate au clair de lune*.

Hoffner resta immobile pendant quelques instants, puis il se leva et s'avança vers lui, la main tendue.

— Mon cher ami, vous ne pouvez imaginer à quel point je suis heureux de vous voir... Au fait, je n'ai même pas encore pensé à vous demander des nouvelles de mon vieil ami, Edwin Craig. Comment se porte-t-il ?

— Il est en parfaite santé, répondit Chavasse, et, surtout, il a hâte de vous revoir. C'est la raison pour laquelle je suis ici.

— De me revoir ?

Une lueur incrédule brilla dans les yeux de Hoffner.

— Mais... c'est impossible ! Jamais les Chinois ne me laisseront partir.

Chavasse sourit.

— Peu importe le moyen pour le moment. Si cela pouvait se faire, seriez-vous désireux de quitter ce pays ? Tout à l'heure, en bavardant avec vous, j'ai eu l'impression que vous ne désapprouviez pas les changements qui étaient intervenus au Tibet depuis l'arrivée des communistes chinois.

Hoffner s'esclaffa.

— Vous n'auriez tout de même pas voulu que je dise autre chose à un journaliste de la *Pravda* ? Oh, certes, le colonel Li s'est toujours montré fort aimable avec moi et je ne puis nier qu'il a vraiment fait tout son possible pour approvisionner mon dispensaire en médicaments et en matériel médical.

140

Chavasse haussa un sourcil étonné.

— Une telle attitude est plutôt surprenante de la part d'un communiste pur et dur.

Un sourire plein de finesse erra sur les lèvres du Dr Hoffner.

— À première vue, sans doute, mais il faut vous dire qu'au fil des ans, j'ai réussi à acquérir une certaine réputation dans ce pays. Les gens du peuple ont confiance en moi et le fait que mon dispensaire n'ait pas été fermé donne à penser que non seulement j'approuve les communistes, mais qu'en plus je suis désireux de coopérer avec eux.

— C'est vrai, acquiesça Chavasse. Et si, pour montrer votre désaccord, vous ne vous rendiez plus au dispensaire, ce seraient uniquement les Tibétains qui en pâtiraient. Le colonel Li, apparemment, possède un certain don pour mettre les gens en porte à faux.

— Un don qu'il partage avec la plupart des bons communistes, fit remarquer Hoffner.

Chavasse hocha la tête.

— Pour en revenir à ma première question, seriez-vous d'accord pour partir, si je trouvais un moyen de vous faire quitter le Tibet ?

D'un geste machinal, Hoffner prit sa pipe et en tapota le fourneau pour faire tomber dans la cheminée la cendre qu'il contenait.

— Vous savez, jeune homme, j'ai soixante-quatorze ans, répondit-il tout en dénouant les cordons d'une vieille blague à tabac en cuir. De plus, je ne suis pas en bonne santé et je sais que mes jours sont comptés. Il est possible que je n'approuve pas le régime communiste — du moins tel qu'il est pratiqué dans ce pays —, mais les Chinois n'ont pas fermé mon dispensaire et, si je venais à partir, les pauvres gens que je soigne ne bénéficieraient plus d'aucuns soins médicaux. Je pense donc que mon devoir est de rester ici et de soulager leurs misères pendant le peu d'années qui me restent encore à vivre.

— Et si je vous disais qu'on a encore plus besoin de vous ailleurs ?

Hoffner finit de bourrer sa pipe et l'alluma.

— Je crois que vous devriez préciser votre pensée. Au fait, si cela ne vous ennuie pas, pourrais-je connaître votre véritable nom ?

Chavasse haussa les épaules.

— Mon nom ne vous dira rien, mais je n'ai aucune raison de vous le dissimuler. Je m'appelle Chavasse. Paul Chavasse.

— Ah, vous êtes français... C'est très intéressant, mais, si vous n'y voyez pas d'inconvénient, je préférerais continuer de parler anglais. Cela me rajeunit et me rappelle le temps où j'étais étudiant à Cambridge.

Chavasse alluma une cigarette et se pencha en avant.

— À propos, il y a de nombreuses années, quand vous prépariez votre doctorat en mathématiques, vous avez présenté une thèse révolutionnaire dans laquelle vous démontriez que l'énergie n'était qu'une forme particulière de l'espace.

Hoffner fronça les sourcils.

— C'est vrai, mais comment diable avez-vous pu en avoir connaissance ?

— Vous en avez parlé dans la lettre que vous avez envoyée à Craig. Vous avez même ajouté que vous aviez poussé votre raisonnement plus loin et établi que l'espace, dans certaines condi-

142

tions, pouvait se transformer en champ énergétique.

— C'est exact, acquiesça Hoffner, mais je ne vois pas en quoi ce qui, après tout, n'est qu'un simple concept mathématique peut passionner Craig à ce point. Je vous assure que ma démonstration est purement théorique et ne peut déboucher sur aucune application pratique.

Chavasse hocha la tête.

— Elle l'était avant que les Russes n'envoient un certain Gagarine en orbite autour de la terre.

Hoffner s'arrêta brusquement de tirer sur sa pipe.

— Vous plaisantez, n'est-ce pas ?

— Pas du tout, affirma Chavasse. Ils ont même renouvelé leur exploit et les Américains se sont lancés également dans la conquête de l'espace. Ils ont pris un peu de retard, mais ils sont en train de le combler rapidement. Pour le moment, je suis incapable de vous dire lesquels seront les premiers à planter leur drapeau sur la lune. En tout cas, il y a une chose qui est certaine : ce ne seront pas les Chinois !

Au fur et à mesure qu'il parlait, les yeux de Hoffner s'étaient mis à briller intensément.

— C'est pour cela que nous n'en avons rien su, ici, à Changu ! s'exclama-t-il en se levant brusquement et en se mettant à arpenter la pièce comme un lion en cage. Pour la première fois de ma vie, je me sens vraiment furieux. Pas seulement comme scientifique, mais également en tant qu'être humain. L'humanité vient de se lancer dans la plus grande aventure de tous les temps, et de misérables bureaucrates n'ont pas jugé bon de m'en avertir !

Il se rassit et posa impulsivement la main sur le bras de Chavasse.

— Dites-moi tout ce que vous savez. Par exemple, quelle sorte de propulsion ont-ils utilisée ?

— Des combustibles liquides et solides, répondit Chavasse. Des fusées à étages, naturellement.

Hoffner secoua la tête.

— Il s'agit là d'une solution archaïque, cher ami ! À peine appropriée pour atteindre la banlieue de la terre. Mais, lorsqu'il s'agira d'aller plus loin, vers Mars ou vers Vénus...

— C'est là que vous entrez en scène, expliqua Chavasse. Les Russes travaillent depuis plusieurs années sur une fusée à moteur ionique qui utiliserait pour sa propulsion le rayonnement émis par les étoiles. Dans ce domaine, ils ont une avance très importante sur le monde libre. S'ils conservent cette avance, cela peut signifier à terme leur victoire et l'assujettissement à leurs thèses de l'humanité tout entière.

— Et Craig pense que ma nouvelle théorie peut réussir à combler cette avance ?

— Oui, acquiesça Chavasse. Je ne suis pas un scientifique, mais il semble penser que votre découverte permettrait de produire de l'énergie à partir de l'espace lui-même. Est-ce exact ?

Hoffner hocha la tête gravement.

— Au moins en théorie. Si un vaisseau spatial pouvait tirer son énergie directement de l'espace — une énergie quasiment inépuisable —, il atteindrait des vitesses auxquelles nous n'avons encore jamais osé rêver, mais sans lesquelles il serait illusoire de songer à traverser les espaces intersidéraux.

Il y eut un moment de silence, puis Chavasse leva vers lui un visage empreint de gravité.

— Je sais combien vos patients sont importants pour vous, mais je suppose que vous comprenez maintenant pourquoi il est primordial que vous retourniez dans le monde libre.

Hoffner poussa un profond soupir.

— Oui, je le comprends.

Pendant quelques instants, il regarda fixement les flammes qui dansaient dans la cheminée, puis releva brusquement la tête.

— Je ne sais pas comment vous allez vous y prendre, jeune homme, mais je suis prêt à vous suivre. Au fait, et Katya ? Je ne puis l'abandonner ici !

Chavasse le considéra d'un air surpris.

— Vous pensez qu'elle voudra venir avec nous ?

— Oui, affirma-t-il sans la moindre hésitation. Elle ne connaît rien à la politique et que ce soit ici ou en Russie, elle n'a plus aucune attache à part moi.

Chavasse hésita.

— Sa présence pourrait compliquer l'opération... Si vous le permettez, je vais y réfléchir, mais, pour l'amour du ciel, ne lui dites rien. Moins elle en saura et mieux cela vaudra, aussi bien pour elle que pour nous. Dans une affaire de ce genre, il faut toujours être très prudent et envisager le pire. Nous disposons de cinq jours pleins avant le retour de mon avion. D'ici là, le seul problème à résoudre sera de trouver un moyen de vous faire quitter Changu.

Depuis quelques instants, il avait eu vaguement conscience d'un léger courant d'air sur la joue droite. Il se retourna et découvrit Katya debout sur le pas de la porte. Elle portait un plateau sur lequel était posé un verre de lait chaud.

Depuis combien de temps était-elle là ? Qu'a-vait-elle entendu de leur conversation ? Autant de questions auxquelles il était incapable de répondre. Le visage impassible, elle les rejoignit et tendit le verre de lait à Hoffner.

— La journée a été longue, Docteur, déclara-t-elle calmement en russe. Il est temps d'aller vous coucher.

Hoffner soupira, but une gorgée de lait et grimaça.

— Vous voyez, cher ami, la roue a tourné. Je suis redevenu un petit garçon qui doit obéir aux injonctions de sa nounou.

— Je suis sûr que la camarade Stranoff ne pense qu'à votre bien, répondit Chavasse avec componction.

La jeune femme lui adressa un sourire énigmatique.

— Mais, naturellement, camarade Kurbsky. La seule chose qui compte pour moi, c'est la santé de notre cher professeur.

CHAPITRE NEUF

Une chaleur douce et agréable régnait dans la chambre et un bon feu de bois crépitait dans la cheminée. Chavasse posa sa lampe à huile sur la table à côté du lit, ouvrit la porte-fenêtre et sortit sur la galerie couverte qui courait tout le long de la façade et donnait sur le jardin derrière la maison.

Il ne pleuvait pas, mais l'air était humide et il remplit ses poumons de toutes les senteurs de la terre. Pendant quelques instants, il resta accoudé à la balustrade en bois, puis, vaincu par la fatigue, il rentra dans la chambre et referma la porte-fenêtre.

Il commençait à se déshabiller lorsqu'on frappa doucement à la porte. C'était Hoffner.

— J'ai pensé que vous pourriez en avoir besoin, déclara-t-il en lui tendant une lourde robe de chambre en laine damassée.

Au timbre de sa voix et à l'expression de son visage, Chavasse devina que ce n'était pas la seule raison de sa visite.

— Merci. Y a-t-il quelque chose qui ne va pas ?

questionna-t-il en posant la robe de chambre au pied de son lit.

Hoffner soupira.

— Oui, je crains que Katya ne soit déjà au courant de notre projet.

Chavasse prit une cigarette et l'alluma avec une lenteur délibérée.

— Est-ce vous qui lui en avez parlé ?

— Non. Elle a simplement entendu la fin de notre conversation. Elle parle très bien l'anglais et elle n'est pas stupide. Tout à l'heure, elle est venue dans ma chambre et m'a demandé qui vous étiez et ce que vous étiez venu faire exactement à Changu.

— Que lui avez-vous raconté ?

Hoffner haussa les épaules.

— Je lui ai expliqué que j'étais un vieil homme fatigué qui avait envie de revoir une dernière fois son pays avant de mourir et que des amis à moi vous avaient envoyé ici afin de m'aider à quitter le Tibet.

— Rien de plus ?

— Bien sûr ! Elle n'avait pas besoin de savoir le reste.

— Vous avez agi sagement, acquiesça Chavasse. Après tout, son père était russe et il est naturel qu'elle éprouve une certaine loyauté envers son pays. Accepter de vous aider est une chose, mais il est difficile de lui demander de participer, même de façon passive, à une opération qui pourrait nuire aux intérêts de sa patrie.

— Dans ce domaine, c'est vous le spécialiste et j'ai confiance en vous, répondit Hoffner, mais je ne pense pas que vous ayez à vous inquiéter. Comme je vous l'ai déjà dit, elle ne s'intéresse pas à la politique et elle n'est même pas membre du parti.

— C'est possible, concéda Chavasse, mais au cas où l'affaire tournerait mal, il est préférable qu'elle reste dans une ignorance aussi complète que possible. Vous savez ce dont sont capables les services de sécurité chinois, ajouta-t-il d'une voix sombre.

Hoffner hocha la tête.

— Je suppose que vous avez raison. Il serait bon que vous ayez un entretien avec elle demain matin. Pour le moment, elle est convaincue que je ne suis pas en état de supporter un tel voyage. D'après elle, ce serait un véritable suicide.

— C'est d'accord, j'irai lui parler, accepta Chavasse. Maintenant, vous devriez aller vous reposer. Ne vous inquiétez pas, tout ira bien. Je vous le promets.

La porte se referma sans bruit derrière le vieux professeur et, pendant quelques instants, Chavasse resta immobile et réfléchit à la situation. Puis sa fatigue se fit à nouveau sentir et chassa tout le reste de son esprit. Demain, il ferait jour...

En quelques gestes rapides, il finit de se déshabiller, se coucha et éteignit sa lampe. Moins de cinq minutes plus tard, il dormait profondément.

Il ouvrit les yeux et, avant même d'être complètement réveillé, il se rendit compte qu'il était couché et que le feu dans la cheminée était presque éteint. Il leva son poignet et le cadran lumineux de sa montre brilla dans la pénombre. Il était deux heures du matin. Cela signifiait qu'il avait dormi quatre heures à peine, mais, malgré cela, il ne se sentait plus du tout fatigué.

L'atmosphère autour de lui avait quelque chose d'électrique et semblait bourdonnante d'énergie, comme si aucun être vivant ne dormait. Comme si, dehors, dans la pénombre, une présence mystérieuse attendait que quelque chose se produise.

Au loin, il y eut un grondement menaçant, puis un éclair illumina la chambre et, pendant une fraction de seconde, il distingua clairement tous les meubles autour de lui.

Il posa les pieds par terre, enfila la robe de chambre que Hoffner lui avait prêtée et alla ouvrir la porte-fenêtre. Lorsqu'il sortit sur la galerie, le ciel se déchira d'un seul coup et un véritable rideau de pluie s'abattit sur le jardin et sur la ville.

Le froid était vif, mais pendant quelques instants il ferma les yeux et remplit avec délice ses poumons.

Puis, alors que sa nervosité intérieure commençait à s'apaiser, une voix féminine résonna dans la pénombre. Une voix calme et posée qui s'exprimait dans un anglais presque parfait.

— À cette altitude, l'air de la nuit est néfaste pour l'organisme, monsieur Chavasse.

Il se retourna lentement, tous ses sens en alerte. Katya Stranoff était debout à quelques pas de lui, la main posée sur la balustrade. Soudain, il y eut un nouvel éclair et son visage jaillit de la nuit, comme s'il avait été éclairé brièvement par un puissant projecteur.

La vision n'avait duré qu'une fraction de seconde, mais cela avait suffi pour qu'il éprouve un véritable choc. Katya était belle. D'une beauté sublime. La veille, il l'avait trouvée jolie, charmante même, mais maintenant il savait qu'il y avait quelque chose de plus en elle. Quelque chose qu'il n'aurait pu définir précisément mais qui la rendait différente de toutes les autres femmes.

Était-ce l'innocence presque surnaturelle qui émanait de son regard ? Peut-être, mais, en même temps, il avait deviné qu'elle était en proie à un violent combat intérieur, comme si elle tentait désespérément de s'adapter aux dures réalités d'un monde qui était aux antipodes de sa nature pure et généreuse. Fugitivement, elle lui avait rappelé une autre fille. Une fille qu'il avait connue plusieurs années auparavant, à des milliers de kilomètres de la Chine et du Tibet.

— Vous n'arrivez pas à dormir ? questionna-t-il.

— Non, murmura-t-elle en soupirant. Il y a trop de choses qui trottent dans ma tête.

— Alors venez dans ma chambre et parlons-en, proposa-t-il. Le feu est presque éteint, mais nous aurons moins froid qu'ici.

Sans un mot, elle passa devant lui et il la suivit en refermant la porte-fenêtre derrière lui.

Lorsqu'il se retourna, il vit qu'elle était à genoux devant le feu et qu'elle était occupée à le raviver avec du petit bois qui était empilé à côté de la cheminée.

Dès qu'il eut repris, elle s'assit en tailleur sur le tapis en peau de mouton et tendit les paumes de ses mains vers les flammes, tandis qu'il tirait une chaise et s'asseyait à côté d'elle.

— J'ai vu Hoffner quitter votre chambre tout à l'heure, déclara-t-elle sans se retourner vers lui.

Je suppose qu'il vous a dit que j'étais au courant de vos projets ?

— Oui, acquiesça-t-il. Vous avez écouté notre conversation après le dîner et vous êtes allée lui demander qui j'étais et quelles étaient mes intentions.

Elle tourna la tête brusquement vers lui et une lueur brilla dans ses yeux.

— Je n'éprouve aucune honte à vous avoir écoutés ! s'exclama-t-elle. C'est un homme âgé et malade. Si je n'étais pas là, il n'y aurait personne qui veillerait sur lui.

Elle avait parlé avec détermination, ce qui laissait supposer qu'elle était beaucoup plus forte que ne le laissait supposer son apparence frêle et délicate. Il sourit et leva une main apaisante.

— Je ne voulais nullement vous offenser, vous savez.

Aussitôt, elle prit un air contrit.

— Pardonnez-moi. Je me suis laissée emporter. Vous comprenez, le Dr Hoffner s'est conduit comme un père avec moi. C'est un homme merveilleux et je ne désire que son bien.

— Moi aussi, affirma-t-il.

— En êtes-vous sûr ? questionna-t-elle d'un ton sceptique. Croyez-vous honnêtement qu'un homme de son âge qui a le cœur fragile a une chance raisonnable de survivre au voyage que vous envisagez de lui faire faire ?

— Oui, répondit Chavasse. Je le crois. En prenant certaines précautions, naturellement.

— Mais, c'est un homme malade ! protesta-t-elle. Il faut plusieurs journées de route pour se rendre au Cachemire et certains cols sont à plus de cinq mille mètres. Sans parler du vent, de la neige et du froid. Tout cela à dos de cheval !

— Ce ne sera peut-être pas aussi dur que vous l'imaginez.

Aussitôt, elle fronça les sourcils.

— Que voulez-vous dire par là ?

Chavasse se pencha en avant et sourit.

— Il est inutile que je vous donne tous les détails de l'opération. Le Dr Hoffner, lui-même, ne les connaît pas. Je vous demande seulement de vous détendre et d'avoir confiance en moi. Tout se passera bien. Je vous le promets.

Elle secoua la tête avec exaspération.

— Dans votre bouche, tout est facile — J'ai l'impression d'entendre mon père. Pour lui non plus, il n'y avait jamais de problèmes.

— N'est-ce pas une excellente façon d'envisager les choses ?

Elle soupira.

— Vous croyez ? Il m'avait dit que nous irions à Lhassa en nous joignant à une caravane. Ce devait être une expérience merveilleuse, inoubliable. Il n'avait simplement pas prévu qu'il mourrait de la typhoïde en cours de route.

— Comment aurait-il pu le prévoir ? murmura Chavasse avec gentillesse. La mort a une fâcheuse habitude : elle ne prévient jamais les gens à qui elle a décidé de rendre visite. C'est peut-être mieux ainsi, d'ailleurs.

Dans le bref silence qui s'ensuivit, il prit son paquet de cigarettes et lui en tendit une. Elle l'accepta sans un mot et il lui donna du feu.

— Au fait, qu'est-il advenu du vrai Kurbsky ? questionna-t-elle au bout de quelques instants. Il est mort, n'est-ce pas ?

Il hocha la tête.

— Est-ce vous qui l'avez tué ?

— Non. Il est tombé dans une embuscade

tendue par des partisans. Des bergers tibétains qui, apparemment, haïssaient autant les Russes que les Chinois.

— Je vois, acquiesça-t-elle. Vous vous êtes contenté d'usurper son identité. Ces partisans, étaient-ils vos amis ?

Il haussa les épaules.

— D'une certaine façon. Cependant, même si j'avais été là au moment de l'embuscade, je n'aurais sans doute pas pu sauver la vie de votre compatriote. Ces bergers sont des gens très rudes et je n'avais pas assez d'influence sur eux.

— Et ce Tibétain qui est venu ici avec vous ? Je crois que vous m'avez dit qu'il s'appelait Joro... N'aurait-il pas pu faire quelque chose ?

Chavasse soupira.

— Je crains que vous ne vous rendiez pas compte exactement de la situation dans laquelle se trouve ce pays. C'est la guerre. Une guerre cruelle et sans pitié. Les Tibétains se battent contre un envahisseur qui tente par la force de lui imposer des lois et des coutumes qui ne sont pas les leurs.

La jeune femme baissa la tête.

— Je ne suis plus une enfant et je sais que les Chinois ont fait des choses terribles, mais, vous comprenez, tous ces morts, tous ces massacres...

Elle frissonna et croisa ses bras sur sa poitrine.

— Je n'arrive pas à m'y habituer. J'ai l'impression que c'est un horrible gâchis de vies humaines.

— Sans doute, acquiesça-t-il, mais souvenez-vous de ce qu'a dit Lénine : « Le but du terrorisme est de terroriser. C'est le seul moyen dont dispose un peuple désarmé pour lutter contre les tyrans qui l'oppriment. »

— Lénine... murmura-t-elle. Mon père disait qu'aucun homme n'était infaillible. Je crois qu'il n'aimait pas beaucoup Lénine. Pas plus que tous les autres dictateurs, d'ailleurs.

— D'après ce que vous me dites, je crois que nous aurions pu nous entendre tous les deux, déclara Chavasse. Parlez-moi donc de lui.

La jeune femme haussa les épaules.

— Que pourrais-je vous en dire ? C'était un universitaire, vous savez. Un homme qui n'éprouvait que fort peu d'intérêt pour la politique, même si, parfois, il exprimait son opinion sur une chose ou sur une autre. Tout son temps ou presque était accaparé par l'archéologie, un domaine dans lequel l'État ne peut guère intervenir. Nous menions donc une vie très en marge de la vie de la plupart des gens.

— Et votre mère ?

— Elle est morte au moment de ma naissance. J'ai passé mes premières années chez une tante de mon père, à Moscou. Quand j'ai été plus grande, il m'a reprise avec lui. C'était un homme de terrain — pas du tout un savant poussiéreux — et il aimait beaucoup voyager. Il a dirigé des chantiers de fouilles un peu partout dans le monde. Pendant les trois dernières années de sa vie, nous avons vécu à Pékin.

— Pourquoi avait-il tellement envie de visiter Lhassa ?

— Je ne sais pas, avoua-t-elle. Je crois que c'était un rêve qui remontait très loin, peut-être même à son enfance. Nous devions rentrer en Russie et je suppose qu'il s'est dit que c'était l'occasion ou jamais de le réaliser.

— Et vous-même, n'avez-vous pas eu envie de retourner en Russie parfois ?

— Non, répondit-elle. Oh, certes, il m'arrive parfois de regretter toutes les distractions qu'offre une grande ville comme Moscou — le théâtre, le cinéma, les concerts, les expositions —, mais, en fin de compte, je m'en passe très bien. Vous comprenez, ma tante est morte il y a trois ans et, là-bas, il n'y a personne d'autre qui s'intéresse à moi.

— Alors qu'ici, vous avez Hoffner.

Elle leva les yeux vers lui et un sourire radieux illumina son beau visage.

— C'est vrai. Quand je suis arrivée à Changu, juste après la mort de mon père, j'étais désespérée. Il m'a accueillie et consolée comme si j'étais sa fille. Ensuite, il est tombé malade et je l'ai soigné. Nuit et jour. J'avais tellement peur de le perdre et de me retrouver à nouveau seule ! En quelques mois, il est devenu tout, ou presque, pour moi.

— Il semble ressentir exactement la même chose à votre égard, déclara Chavasse. Vous a-t-il dit qu'il désirait vous emmener avec lui ?

Elle hocha la tête.

— Je serai très heureuse de partir avec lui. La seule chose qui m'inquiète, c'est ce voyage. J'ai peur. Pas pour moi, mais pour lui.

Chavasse lui sourit.

— Croyez-moi, ce sera beaucoup moins dangereux que vous l'imaginez. Tout a été prévu et vous n'avez aucune raison de vous faire du souci. Notre départ, d'ailleurs, n'aura pas lieu avant plusieurs jours. Je vous préviendrai lorsque le moment sera venu. Jusque-là, le plus simple est de rester tranquillement ici.

— Je vois, acquiesça-t-elle en se levant. Il nous faut simplement prendre notre mal en patience.

Lorsque vous serez prêt, vous consentirez enfin à nous mettre dans la confidence.

Le ton de sa voix avait été légèrement irrité. Il se leva également et posa une main apaisante sur son épaule.

— Allons, ne le prenez pas ainsi. Si j'agis de cette façon, c'est seulement pour votre sécurité et pour la sécurité du Dr Hoffner. Dans certains cas, l'ignorance est encore la meilleure des protections.

— Si vous le dites...

— J'en suis persuadé ! Il ne nous reste donc qu'un seul vrai problème à résoudre : la façon dont nous allons tuer le temps pendant les prochains jours. Que faites-vous pour vous distraire lorsque vous ne vous occupez pas de la maison ou du Dr Hoffner ?

Elle haussa les épaules.

— Pas grand-chose. Je lis beaucoup et, lorsque le temps s'y prête, je fais de longues promenades à cheval dans la campagne.

— Le grand air et la nature, approuva Chavasse. Exactement le genre de chose que j'aime.

Brusquement, elle se détendit et sourit.

— Cela vous plairait peut-être de venir avec moi ? En général, je pars après le déjeuner. Êtes-vous un bon cavalier ?

— Sans forfanterie, je me débrouille plutôt bien, répondit-il avec un large sourire. Un petit talent parmi d'autres.

Elle hocha la tête.

— Et vous en avez beaucoup, n'est-ce pas, monsieur Chavasse ? Je connais peu d'hommes qui parlent aussi bien le chinois et qui, en outre, s'expriment en russe avec la même aisance que s'ils étaient nés à Moscou !

— Je peux vous retourner le compliment, répliqua-t-il. Votre anglais est excellent. Où l'avez-vous donc appris ?

— À Moscou, répondit-elle simplement. En Russie, tout le monde ou presque choisit l'anglais comme première langue étrangère et, comme vous devez le savoir, les Slaves sont assez doués naturellement pour apprendre les langues. Mais chez vous, il y a quelque chose d'autre. Quelque chose que je n'arrive pas à déterminer... En tout cas, je suis certaine que vous n'êtes pas seulement un aventurier.

— Pourtant, c'est ce que je suis. Du moins, c'est le terme qui correspond le mieux à ce que je fais.

— Non, murmura-t-elle. Il y a autre chose...

Puis une pensée lui traversa l'esprit et ses yeux s'élargirent. Elle fit un pas vers lui et posa les mains sur les revers de sa robe de chambre.

— Il s'agit de quelque chose qui concerne le Dr Hoffner, n'est-ce pas ?

Il fit la seule chose qu'il pouvait faire. Ses bras se glissèrent autour de sa taille et il l'embrassa.

D'un seul coup, tout son corps s'anima et elle se mit à trembler. Pendant quelques instants, il la serra contre lui, puis, très doucement, elle le repoussa.

Quand elle leva son visage vers lui, une lueur sombre et indécise brillait dans son regard.

— Il vaut mieux que je m'en aille, murmura-t-elle en s'arrachant à son étreinte.

Machinalement, il ouvrit la porte-fenêtre et, d'un mouvement rapide, elle passa à côté de lui. Dehors, il continuait de pleuvoir. Elle se retourna et le regarda pendant quelques instants, puis, brusquement, elle leva la main et effleura son visage du bout des doigts avant de disparaître dans la pénombre.

Pendant une minute ou deux, il resta immobile, en proie à une étrange excitation, puis il rentra dans sa chambre et referma la porte-fenêtre.

CHAPITRE DIX

Le lendemain, après le déjeuner, ils se mirent en selle et sortirent de Changu par une poterne fortifiée gardée par un soldat chinois qui ne leur jeta qu'un coup d'œil distrait. Le ciel était d'un bleu très profond et l'air était aussi léger et aussi pétillant que du vin nouveau.

Leurs montures étaient des petits chevaux tibétains, secs et nerveux. Elles piaffaient d'impatience et, dès que la ville fut derrière eux, Katya rendit des rênes à la sienne et prit le galop. Elle était en culotte de cheval et portait des bottes russes en cuir souple. Son chapeau et le col de sa veste étaient en astrakhan noir.

Chavasse, quant à lui, avait mis les bottes tibétaines et la shuba qu'il portait à son arrivée à Changu. Il suivit la jeune femme en éparpillant au passage un troupeau de yaks qui paissaient autour d'un vaste campement de bergers nomades.

Ils remontèrent la vallée à vive allure et, d'un seul coup, la steppe succéda aux vertes prairies. Une steppe jaune safran qui étincelait dans la lumière du soleil. Au pied d'un amas de rochers, un ruisseau bruissait doucement avant de se perdre dans une mare bordée de roseaux.

Chavasse retint sa monture et un oiseau, lourd et maladroit, s'éleva lentement en jetant un cri strident. Un cri qui, bizarrement, le remplit d'une inexplicable tristesse.

Il frissonna, bien qu'il n'eût pas froid, puis il entendit la voix de Katya qui l'appelait. La jeune femme caracolait au loin, au sommet d'une crête. Il reprit ses rênes et talonna son cheval pour la rejoindre.

Au ras du sol, une brume légère s'effilochait entre les jambes de sa monture et le vent, tiède et parfumé, caressait ses joues et gonflait les manches de sa shuba. Lorsqu'il arriva en haut de la crête, il s'arrêta et découvrit une rivière qui courait au fond d'une gorge profonde et escarpée. Katya était debout au bord du canyon.

Il descendit la pente au galop, sauta à terre et, d'une bourrade sur la croupe, envoya l'animal rejoindre le cheval de la jeune femme. Il fit une pause pour allumer une cigarette et, alors qu'il levait les yeux, elle se retourna et revint vers lui.

Elle avait le soleil dans le dos et elle marchait avec une telle légèreté qu'elle donnait l'impression de flotter au-dessus de l'herbe jaune et craquante — une vision irréelle et éthérée qui, à chaque instant, semblait prête à se dissoudre et à disparaître. Puis, elle parla et le charme se rompit instantanément.

— Asseyons-nous, Paul.

Ils se laissèrent tomber sur l'herbe sèche et, presque aussitôt, Chavasse ferma les yeux et se détendit. Les rayons du soleil lui caressaient doucement le visage. C'était si agréable de ne rien faire et d'être assis à côté d'une aussi merveilleuse créature !

Décidément, se dit-il, il avait eu tort de mépriser pendant aussi longtemps les plaisirs de la plage et du farniente. Soudain, quelque chose lui chatouilla le bout du nez. Il ouvrit les yeux et surprit Katya en train de lui caresser le visage avec une longue tige de folle avoine qu'elle venait de cueillir.

— Savez-vous que cela faisait des années que je ne m'étais pas octroyé une journée de détente comme celle-ci ?

Elle haussa un sourcil étonné.

— Pourquoi donc ? La vie est faite pour être vécue.

— Votre remarque est tout à fait pertinente, acquiesça-t-il. L'ennui, c'est que je n'arrive jamais à trouver le temps. Je suppose qu'il doit y avoir quelque part une faille dans ma personnalité.

Un petit rire amusé s'échappa des lèvres de la jeune femme.

— Je n'en crois rien. Étiez-vous déjà ainsi quand vous étiez un petit garçon ?

Il leva les yeux vers le ciel et plissa le front, comme s'il cherchait à sonder la profondeur du firmament.

— Je n'ai que des souvenirs fragmentaires de mon enfance. Mon père était français et ma mère anglaise. Il a été tué au combat près d'Arras, en 1940, quand les divisions blindées allemandes ont déferlé à travers la France. Ma mère et moi, nous avons réussi à quitter le continent par l'un des derniers bateaux qui a pu appareiller du port de Dunkerque.

— Ensuite, vous êtes resté en Angleterre ?

— Oui...

Cela faisait bien longtemps qu'il ne s'était pas ouvert à quelqu'un de cette façon. Au fur et à mesure qu'il parlait, le passé semblait revivre et une foule de souvenirs surgissait dans sa mémoire.

Lorsqu'il en fut arrivé aux deux années qu'il avait passées comme maître de conférence à l'université de Cambridge, plus d'une heure s'était écoulée.

— Je ne comprends pas, murmura-t-elle en fronçant les sourcils. Vous aviez tout ce que vous pouviez désirer, une brillante carrière universitaire se profilait devant vous et, brusquement, sans raison, vous avez quitté la voie royale qui était tracée devant vous.

— Ma conception de l'existence a changé, voilà tout, répondit-il en haussant brièvement les épaules. Un été, alors que j'étais en vacances, j'ai aidé la fille de l'un de mes amis à quitter la Tchécoslovaquie. L'aventure m'a plu et j'ai continué.

Elle soupira et secoua la tête.

— Ainsi, vous avez décidé d'en faire, en quelque sorte, votre métier ?

— Oui, acquiesça-t-il. Je suis même devenu un expert très recherché. L'an dernier, par exemple, on a fait appel à mes services pour aider le dalaï-lama à se réfugier en Inde.

Ses confidences allaient beaucoup trop loin. Il le savait, mais c'était plus fort que lui.

— Et que pense votre mère de la nouvelle carrière que vous avez embrassée ?

Un large sourire barra le visage de Chavasse.

— Oh, elle croit que je suis une sorte de fonctionnaire, ce qui n'est pas totalement faux. En un sens, du moins.

Katya avait l'air toujours aussi intriguée.

— Et, honnêtement, la vie que vous menez vous plaît ? N'avez-vous jamais peur ? Cela doit être horrible d'avoir constamment la tête sur le billot, sans savoir quand la hache va tomber !

— Mes missions ne sont pas toujours aussi périlleuses, répondit-il en souriant. Par exemple, la dernière fois que le camarade Khrouchtchev est venu en visite à Londres, j'ai été chargé de veiller sur sa sécurité. Je suppose que vous approuvez au moins cette facette de mes activités.

— Il ne s'agit pas d'approuver ou de désapprouver ce que vous faites, déclara-t-elle en secouant la tête. La politique ne m'a jamais intéressée et ne m'intéressera jamais. Je trouve seulement qu'il est dommage qu'un cerveau comme le vôtre ne soit pas employé à des tâches plus nobles.

Il ferma les yeux. Quelqu'un d'autre lui avait déjà dit la même chose. Katya continuait de parler. Sa voix douce et mélodieuse le berçait et se mêlait au murmure du torrent qui, pour le moment assagi, serpentait au milieu des bancs de sable au fond du canyon. Puis, peu à peu, le murmure se fit plus lointain et s'évanouit comme un rêve dans les abysses du néant.

*\
* *

Il se réveilla brusquement. Au-dessus de lui, les nuages couraient et tournoyaient dans le ciel, annonciateurs d'un changement de temps imminent. Katya n'était plus là. Il se leva brusquement et regarda autour de lui.

Où diable pouvait-elle être allée ? En proie à

une soudaine inquiétude, il courut jusqu'au bord du canyon. Elle était debout sur un rocher, au bord du torrent, et s'amusait à faire ricocher des galets sur la surface de l'eau.

Par où était-elle descendue ? Il examina la paroi escarpée et aperçut, à quelques dizaines de mètres en amont, des marches rudimentaires taillées dans la roche. Un passage aménagé par des bergers. Il l'emprunta et, en quelques instants, il parvint au bord du torrent. En entendant ses bottes crisser sur le gravier, elle se retourna vers lui.

— Vous m'avez abandonné, déclara-t-il d'un ton badin. Quand je me suis réveillé, vous étiez partie, comme la princesse tartare dans le conte de fées.

Elle sauta du rocher, mais, ce faisant, elle trébucha et il se précipita pour l'aider à se relever.

— Vous ne vous êtes pas fait mal, au moins ? questionna-t-il tout en la prenant dans ses bras.

— Non, ne vous inquiétez pas, le rassura-t-elle. Oh, Paul, j'aimerais tant que ce soit comme dans un conte de fées ! Par un coup de baguette magique, le temps s'arrêterait et, vous et moi, nous serions ensemble à jamais.

Il y avait eu presque de la détresse dans sa voix et Chavasse sentit une boule se former au fond de sa gorge. Pendant un long moment, il la regarda dans les yeux, puis il l'embrassa. Un baiser plein de douceur et de délicatesse. L'espace d'un instant, il eut l'impression qu'elle fondait dans ses bras, puis, tout à coup, elle échappa à son étreinte et s'enfuit en courant.

Quand il parvint en haut du canyon, elle était déjà à cheval et galopait au loin. Il rattrapa sa propre monture — non sans mal — et se mit en selle. Au sommet de la colline, il n'y avait plus qu'un nuage de poussière qui retombait lentement sur l'herbe sèche.

En arrivant en haut de la crête, il leva les yeux vers le ciel. Le soleil était à demi voilé et une grande barre noire et hostile étendait peu à peu son ombre sur la steppe.

Katya caracolait vers les nuages. Mû par une brusque impulsion, il se lança à bride abattue à sa poursuite. Il n'aurait su dire pourquoi, mais il fallait qu'il la rejoigne avant que cette ombre sinistre et menaçante ne l'atteigne.

Il était encore à trente ou quarante longueurs derrière elle, lorsqu'elle l'enveloppa. Il avait perdu. Il retint sa monture et l'ombre passa également au-dessus de lui en lui glaçant le corps et le cœur.

Pendant quelques instants, il resta immobile, écoutant le bruit des sabots qui s'éloignait, puis, lorsqu'elle eut disparu, dissimulée par un repli du terrain, il soupira et la suivit au petit trot.

Vingt minutes plus tard, il était de retour à Changu. Le visage grave, Joro l'attendait devant la porte de la maison du Dr Hoffner.

— Le capitaine Tsen est là, déclara-t-il alors que Chavasse mettait pied à terre et lui tendait ses rênes. Il est venu poser des questions.

— À quel sujet ? s'enquit Chavasse.

— Il doit faire un rapport à Lhassa, expliqua le Tibétain. Il m'a interrogé pendant une demi-heure. Je lui ai dit que nous campions près de Rudok quand les brigands nous ont attaqués. Il a voulu savoir également ce qu'ils avaient fait des corps des deux soldats et je lui ai répondu qu'ils les avaient enterrés au milieu d'un éboulis de rochers.

— C'est tout à fait plausible, acquiesça Chavasse. Où est-il maintenant ?

— Dans la maison. Il s'apprêtait à repartir lorsque la gouvernante du docteur est revenue. Que s'est-il passé ? Vous vous êtes querellé avec elle ?

Chavasse secoua la tête.

— Pas du tout. Nous avons simplement décidé de faire la course pour rentrer et son cheval était plus rapide que le mien. Au fait, tout va bien, ajouta-t-il à voix basse, tout en allumant une cigarette avec une lenteur délibérée. Le docteur et Mlle Stranoff sont tous les deux d'accord pour venir avec nous.

Joro fronça les sourcils.

— Vous êtes sûr qu'on peut lui faire confiance ?

À cet instant, la porte de la maison s'ouvrit et la jeune femme sortit sur le perron en compagnie du capitaine Tsen.

— C'est le moment où jamais de nous en assurer, répondit Chavasse.

Sur ces mots, il tira sur sa cigarette et traversa la cour d'un pas vif et alerte.

Katya avait l'air tout à fait calme et détendue.

— J'espère que vous avez fait une agréable promenade, déclara Tsen avec un sourire poli.

— Comment aurait-il pu en être autrement, alors que j'étais en aussi charmante compagnie ? répondit Chavasse en s'inclinant galamment devant Katya. Bravo, chère amie. Vous avez gagné cette course haut la main ! Ma monture, je le crains, n'était pas de taille à lutter contre la vôtre.

— Nous essaierons de vous en trouver une plus rapide pour notre prochaine sortie, déclara-t-elle d'une voix neutre. Je crois que le capitaine Tsen désirerait s'entretenir avec vous.

— Oui, mais il n'y a vraiment rien d'urgent, acquiesça Tsen en levant la main. Je voudrais seulement que vous me racontiez à nouveau votre tragique mésaventure. Afin de pouvoir consigner vos paroles dans mon rapport à Lhassa. Il se trouve que le bon Dr Hoffner a bien voulu m'inviter à dîner ce soir. Nous pourrions en parler à ce moment-là, si cela vous convient.

— Tout à fait, accepta Chavasse. Ce sera un plaisir.

Le Chinois sourit.

— À ce soir, alors.

Il salua Katya, claqua des talons comme un officier prussien et descendit les marches du perron pour rejoindre sa Jeep qui était garée au milieu de la cour.

— Veuillez m'excuser, murmura Katya. Il faut que j'aille m'entretenir du repas de ce soir avec le cuisinier.

Son ton avait été formel, presque froid, et, avant que Chavasse ait eu le temps de lui répondre, elle lui tourna le dos et disparut à l'intérieur de la maison. Pendant une seconde ou deux, il resta immobile, les sourcils légèrement froncés, puis il entra également dans le hall.

Il trouva Hoffner dans la bibliothèque. Il était assis devant la cheminée et prenait le thé, un livre ouvert sur les genoux.

— Votre promenade à cheval vous a-t-elle plu ? questionna-t-il en levant les yeux vers lui.

Chavasse tendit les paumes de ses mains vers les flammes.

— Beaucoup, mais le paysage alentour est affreusement monotone et, surtout, il n'y a pas assez d'arbres. Je crois que je ne pourrais vraiment pas m'y habituer.

Hoffner hocha la tête.

— Je vous comprends. Moi aussi, je regrette parfois la diversité de la campagne anglaise. Je suppose que vous savez que Tsen est venu nous rendre visite.

— Oui, acquiesça Chavasse. Je l'ai rencontré sur le perron. Il a déjà interrogé Joro et je ne pense pas que nous ayons besoin de nous inquiéter. Il veut seulement consigner nos déclarations dans le rapport qu'il doit envoyer à Lhassa. Il m'a dit qu'il aurait un entretien avec moi ce soir, après le dîner.

— Katya était d'une humeur un peu bizarre à son retour... Avez-vous eu l'occasion de parler avec elle ?

Chavasse se servit une tasse de thé et s'assit dans le fauteuil de l'autre côté de la cheminée.

— Fort longuement, même, répondit-il. Mes arguments ne l'ont qu'à demi convaincue, mais, néanmoins, elle est disposée à venir avec nous.

— Je suppose que vous ne lui avez pas donné la véritable raison de mon départ ?

Chavasse secoua la tête.

— Non, bien sûr. Il était inutile qu'elle la connaisse. D'ailleurs, ajouta-t-il après une brève hésitation, si jamais les choses venaient à mal tourner et que les Chinois vous interrogent, il vaudrait mieux leur répéter exactement ce que vous avez dit à Katya. Vous étiez un vieil homme fatigué et malade qui avait envie de finir ses jours dans le pays qui l'avait vu naître. C'est suffisamment plausible pour qu'ils vous croient sur parole et ne cherchent pas plus loin.

170

Hoffner sourit. Un sourire mal assuré et un peu contraint.

— Pourquoi voudriez-vous que tout ne se passe pas comme vous l'avez prévu ? J'ai confiance dans votre plan. Totalement confiance.

À cet instant, il y eut un bruit de moteur dans la cour, suivi par un crissement de freins. Hoffner fronça les sourcils et posa sa tasse sur le guéridon.

— Je n'attends personne... Qui cela peut-il bien être ?

Alors que Chavasse se levait, Katya entra avec précipitation dans la bibliothèque.

— Le colonel Li !

Elle s'était exprimée en russe et Chavasse remarqua qu'elle était très pâle et qu'elle avait les yeux cernés. Avec une lenteur calculée, il finit sa tasse de thé et affecta un air faussement dégagé.

— Je serai très heureux de faire sa connaissance, déclara-t-il calmement.

Un pas rapide martela le plancher du hall et une haute silhouette se profila sur le pas de la porte. Le colonel Li était presque aussi grand que Chavasse. Il était en uniforme. Un uniforme bien coupé qui lui allait à la perfection. Ses mains étaient gantées de blanc et un grand manteau à col de fourrure était posé sur ses épaules.

Le visage souriant, il s'avança au milieu de la pièce et salua Hoffner en touchant le bord de sa casquette avec le bout de sa cravache.

— Cher Docteur, c'est toujours un tel plaisir de vous revoir...

Il avait une voix grave et sonore et parlait un chinois très pur, exempt de tout provincialisme. Un nez fin, des traits réguliers, un regard vif et

171

intelligent... Visiblement, tout comme Katya, il avait lui aussi du sang européen dans les veines.

— Nous n'attendions pas votre retour avant la fin de la semaine, Colonel, lui répondit Hoffner en haussant un sourcil étonné.

Le colonel Li hocha la tête.

— Vous savez ce que c'est, cher ami... La vie militaire est toujours pleine de surprises.

Puis, se retournant vers Katya, il lui prit la main et la porta galamment à ses lèvres.

— Vous êtes plus charmante que jamais, camarade Stranoff.

Katya lui adressa un sourire un peu crispé.

— Depuis votre départ, Colonel, nous avons reçu une visite imprévue. Permettez-moi de vous présenter le camarade Kurbsky, un journaliste de la *Pravda* qui est venu à Changu pour faire un reportage sur le Dr Hoffner et sur son œuvre bienfaitrice auprès des populations tibétaines.

Le colonel se retourna vers Chavasse qui s'inclina et lui tendit la main.

— C'est un honneur de faire votre connaissance, Colonel.

Un sourire bon enfant et légèrement ironique erra sur les lèvres de l'officier chinois.

— Tout le plaisir est pour moi... mais je connais déjà le camarade Kurbsky.

Pendant une fraction de seconde, le temps sembla s'être arrêté.

— Que voulez-vous dire ? questionna Chavasse.

Le sourire du colonel Li s'accentua.

— Auriez-vous oublié notre dernière rencontre, camarade ? La semaine dernière, à Rangong. Nous avons passé la soirée ensemble, à

172

l'auberge du village. La nourriture était infecte et il y avait des punaises dans les chambres.

Chavasse faucha les jambes du colonel et, d'un coup d'épaule, l'envoya rouler par-dessus le guéridon. Quelques dixièmes de seconde et il était dans le hall, son Walther à la main. Peu importait Hoffner ou Katya maintenant. C'était sa peau qui était en jeu et dans la vie, comme dans la guerre, c'était toujours le plus rapide et le plus hardi qui réussissait à s'en sortir.

Une Jeep était garée au pied des marches du perron, gardée par quatre soldats qui bavardaient avec nonchalance. Lorsque la porte de la maison s'ouvrit, ils sursautèrent et rectifièrent instinctivement leur position. Chavasse leur jeta un bref coup d'œil et recula d'un pas dans le hall. De ce côté-là, la route était barrée.

À cet instant, le colonel Li sortit de la bibliothèque, un pistolet à la main. Chavasse leva son Walther et appuya sur la détente, mais rien ne se produisit. Le chargeur était vide ! Lâchant son arme, désormais inutile, il se jeta sur le perron et bondit par-dessus la balustrade en pierre, pour essayer d'échapper aux soldats qui étaient au pied de l'escalier.

La cour était pavée et à plus d'un mètre en contrebas. Il se reçut mal, perdit l'équilibre et, lorsqu'il se releva, une brusque douleur lui vrilla la cheville. Il ne manquait plus que cela ! Il serra les dents et courut vers le portail.

Les soldats s'étaient lancés à sa poursuite. Les talons de leurs bottes martelaient le sol et il entendit le colonel Li leur crier de ne pas tirer.

Il n'était plus qu'à un mètre du portail, lorsque l'un de ses poursuivants plongea et réussit à lui saisir la cheville. Stoppé brutalement, il tomba en avant et roula sur lui-même en se protégeant instinctivement le visage avec les bras. Un coup de pied lui laboura les côtes, mais, d'une brusque détente, il parvint à s'arracher à ses assaillants et à leur faire face. Il avait le dos appuyé contre le mur d'enceinte de la cour.

Fugitivement, il aperçut Katya Stranoff debout sur le perron, à côté de Hoffner et derrière le colonel Li. Elle avait le visage très pâle, mais il n'avait guère le temps de se préoccuper de ses états d'âme. Les quatre soldats l'avaient encerclé et progressaient dans sa direction. L'un d'entre eux avait un long bâton de policier. Soudain, il se jeta en avant, le bras levé, et frappa. Chavasse évita le coup de justesse et, dans le même mouvement, envoya son pied dans le bas-ventre de son agresseur. Le souffle coupé, l'homme lâcha son bâton et tomba à genoux.

Ses trois compagnons marquèrent un temps d'arrêt, puis celui du milieu tira son poignard-baïonnette et se remit à avancer prudemment.

Le colonel Li avait vu la lame briller dans la main du soldat. Son pistolet à la main, il se précipita dans la cour.

— Non ! Je le veux vivant !

Le soldat s'arrêta. Profitant de son hésitation, Chavasse se pencha en avant, saisit d'un geste rapide le bâton qui avait roulé à ses pieds et l'abattit avec violence sur le bras de son assaillant. Il y eut un craquement sec. L'os s'était cassé en deux, comme une brindille de bois mort. L'homme poussa un hurlement et sa main laissa échapper le poignard.

Tandis que Chavasse se redressait, les deux derniers soldats bondirent sur lui, pieds et poings en avant. Il évita le premier, mais la charge du deuxième lui fit perdre l'équilibre et il roula avec lui sur le sol pavé. Il lutta désespérément et réussit à venir à bout de son adversaire, mais, alors qu'il se remettait debout tant bien que mal, le colonel Li l'assomma d'un coup de bâton net et propre à la base du crâne.

CHAPITRE ONZE

Une porte qui grince, un trou noir. Poussé brutalement en avant, Chavasse trébucha sur un corps allongé par terre et s'affala contre le mur opposé. Il se redressa sur les mains et respira deux ou trois fois pour reprendre ses esprits. Au bout de quelques instants, il se retourna et regarda autour de lui.

Il se trouvait dans une sorte de cave, un grand cachot éclairé par une unique lampe à beurre posée dans une niche du mur en face de lui. Un cachot rempli d'une humanité malodorante et couverte de haillons. Quelques visages se tournèrent vers lui, mais pas un seul de ses compagnons d'infortune ne fit un geste dans sa direction. Les regards étaient inexpressifs et indifférents.

La plupart des prisonniers étaient des paysans. Certains d'entre eux dormaient, enveloppés dans leur shuba en peau de mouton. Dans un coin, un vieux lama, le visage ridé et émacié, regardait fixement devant lui et égrenait les perles d'un chapelet, tout en psalmodiant des prières d'une voix basse et monotone. *Om ma-ni pad-me hums*... Une litanie lancinante, presque désincarnée.

Le froid était atroce et, parfois, une bourrasque de pluie glacée s'infiltrait à travers les barreaux d'un étroit soupirail qui était placé presque au ras du plafond. Chavasse se leva, enjamba un pauvre hère qui tremblait de fièvre, recroquevillé dans une vieille couverture déchirée, et se hissa le long du mur pour regarder à l'extérieur.

L'un des murs de la cour était à demi effondré et, à travers la brèche, il pouvait apercevoir une partie de la ville. Le vent qui balayait en sifflant les toits plats de Changu venait des steppes de Mongolie et annonçait un hiver rude et précoce. Il frissonna malgré lui et une étrange sensation l'envahit, comme si, dans les limbes ténébreux du futur, quelqu'un avait marché sur sa tombe.

Dans le bâtiment en face, une porte s'ouvrit et un flot de lumière illumina un soldat qui montait la garde stoïquement sous la pluie. L'homme se retourna et échangea quelques phrases avec quelqu'un à l'intérieur du bâtiment. Il y eut un bref éclat de rire, puis la porte se referma et la nuit, morne et sinistre, retomba comme un linceul sur la cour.

Chavasse lâcha les barreaux et ses pieds retrouvèrent le sol dur et froid de la prison. Dans un coin, un malade gémissait. Le gémissement sourd et lancinant d'un animal blessé. Avec précaution, il enjamba deux ou trois corps, afin de rejoindre un emplacement vacant, mais, alors qu'il s'apprêtait à se coucher, une insoutenable odeur d'excréments humains le saisit à la gorge et il recula avec précipitation.

Finalement, il décida de retourner à l'endroit

qu'il avait quitté et se laissa tomber avec lassitude sur la paille moisie.

Le Tibétain qui était assis juste à côté de lui était une sorte de géant hirsute, vêtu d'une grande houppelande de berger toute déchirée et coiffé d'un chapeau conique en feutre. En le voyant, on comprenait aisément comment était née la légende du yéti. Il regarda Chavasse s'installer, tout en continuant d'écraser méthodiquement entre ses doigts les poux et autres vermines qu'il extirpait des régions poilues de son corps. Au bout de quelques instants, il exhuma un morceau de tsampa de l'un des replis de son manteau, le brisa en deux et en tendit une moitié à Chavasse. Chavasse réussit à lui sourire, mais secoua la tête. Le Yéti n'insista pas. Il haussa les épaules et se mit à mâcher consciencieusement sa tsampa dégoulinante de beurre rance.

Les minutes passèrent. Chavasse sentait que le froid l'envahissait et engourdissait peu à peu ses membres. Il tremblait et claquait des dents. Il se replia sur lui-même, les yeux fermés, et essaya de réfléchir. Le destin. Brièvement, il songea à Kurbsky. Sa vie avait basculé en un instant, comme la sienne. Cette fois-ci, il faudrait vraiment un miracle pour qu'il s'en sorte. Des images confuses se mêlèrent dans sa tête, puis, au bout d'un moment, il succomba à un sommeil agité et entrecoupé de cauchemars.

Il entendit vaguement la porte s'ouvrir en grinçant, mais ce fut la gifle qui le ramena complètement à la réalité. Une main l'empoigna brutalement par le revers de sa veste, le força à se lever et le poussa sans ménagement hors de la cellule.

Dans le couloir pavé de grandes dalles de pierre, deux soldats et un sergent l'attendaient.

Tous les trois étaient vêtus du même sinistre uniforme et arboraient sur leur casquette l'étoile rouge de l'armée de la République populaire de Chine. Sans un mot, le sergent pivota sur les talons et se mit en marche. Chavasse le suivit, poussé dans le dos par les soldats qui braquaient sur lui leurs pistolets-mitrailleurs.

Au bout du couloir, ils gravirent un escalier de pierre et s'arrêtèrent devant une porte. Le sergent frappa discrètement, attendit qu'on lui réponde, puis poussa le battant d'un geste respectueux, presque craintif.

La pièce dans laquelle ils entrèrent avait visiblement hébergé autrefois un personnage d'une certaine importance. Les murs lambrissés étaient décorés de fresques magnifiques, des tapis en peau de mouton recouvraient le plancher et un bon feu de bois brûlait dans une grande cheminée en pierre. Par contre, le mobilier était spartiate, presque incongru — un bureau métallique vert, des chaises, métalliques également, et une armoire du même style qui devait sans doute contenir des fichiers.

Le colonel Li était assis derrière le bureau. À leur entrée, il ne leva même pas les yeux du rapport dactylographié qu'il était en train de lire. Chavasse attendit patiemment, debout à un mètre devant le bureau. Son corps était recru de fatigue et, distraitement, il se regarda dans le petit miroir suspendu au mur derrière le colonel.

Il avait les traits tirés, des cernes autour des yeux et l'air hagard d'un homme qui n'a pas dormi depuis trois jours. Une goutte de sang perlait d'une longue estafilade qui barrait son front. Tandis qu'il levait la main machinalement pour l'essuyer, le colonel Li grogna, posa le rapport qu'il lisait sur son bureau et leva les yeux.

En découvrant le visage de son visiteur, il fronça les sourcils et affecta un air navré.

— Mais, mon cher ami, dans quel état vous ont-ils mis ? s'exclama-t-il dans un anglais impeccable.

— Votre sollicitude est vraiment touchante, répondit Chavasse d'un ton grinçant.

Le colonel Li se pencha en arrière et un fin sourire erra sur ses lèvres.

— Ainsi, vous parlez anglais, commenta-t-il. Vous voyez, nous avons déjà fait des progrès.

Chavasse jura intérieurement. Il était fatigué — plus fatigué qu'il ne l'avait été depuis longtemps — et, à cause de cela, il était tombé dans le plus vieux des pièges pratiqués par la gent policière pendant un interrogatoire.

Il haussa les épaules.

— Un point pour vous.

Le colonel Li hocha la tête d'un air satisfait et congédia d'un geste de la main le sergent et les deux soldats.

Il faisait chaud et Chavasse sentit que sa tête commençait à tourner. Il tituba légèrement et se raccrocha instinctivement au dossier d'une chaise. Immédiatement, le colonel Li se leva.

— Je crois que vous feriez mieux de vous asseoir, mon ami.

— Merci, murmura Chavasse en se laissant tomber sur une chaise. Vous êtes trop gentil.

Tandis qu'il s'asseyait, le colonel Li avait ouvert un petit meuble en bois laqué et en avait sorti une bouteille et deux verres. Il remplit l'un des verres d'un geste rapide et le poussa vers Chavasse avant de remplir le sien.

— Buvez, cher ami, murmura-t-il. Je pense que vous serez agréablement surpris.

Avant d'obéir, Chavasse attendit qu'il eut bu lui-même une gorgée. C'était du whisky. Un whisky écossais qui avait au moins douze ans d'âge. Il finit son verre d'un trait et tendit la main vers la bouteille pour se resservir.

— Je vois que vous savez apprécier les bonnes choses, commenta le colonel Li en se resservant également.

Chavasse leva son verre à sa santé.

La douce chaleur de l'alcool l'envahit et, d'un seul coup, il se sentit beaucoup mieux.

— Vous ne vous refusez aucun plaisir, Colonel, déclara-t-il en se laissant aller contre le dossier de sa chaise. Enfin, il faut bien quelques petites compensations quand on consacre sa vie à la révolution et au bien-être du prolétariat... Au fait, vous n'auriez pas également une cigarette, par hasard ? Vos sbires m'ont dépouillé de tous mes petits effets personnels avec une dextérité de bandits de grands chemins. À leur mine, d'ailleurs, je parierais volontiers que vous les nourrissez juste assez pour qu'ils ne meurent pas de faim.

Le colonel Li sortit un paquet de cigarettes américaines de sa poche et le lui lança d'une chiquenaude à travers le bureau.

— Vous voyez, je suis disposé à satisfaire toutes vos exigences.

Chavasse prit une cigarette et se pencha en avant pour l'allumer à la flamme du briquet du colonel.

— Auriez-vous un préjugé à l'encontre du tabac produit par les vaillants travailleurs de votre pays ?

Le colonel Li sourit avec complaisance.

— Les cigarettes de Virginie sont également produites par des travailleurs et je dois dire qu'elles sont excellentes. Lorsque notre cause aura vaincu dans le monde entier, je ne fumerai sans doute plus que celles-là — sans aucun remords.

— N'allez-vous pas un peu loin, camarade ? À Pékin, cela pourrait être considéré comme de la trahison.

Avec une lenteur délibérée, le colonel Li inséra une cigarette dans un élégant fume-cigarette en jade.

— Nous ne sommes pas à Pékin, mon ami. Ici, je suis le seul maître et personne n'est en mesure de contester mon autorité.

La voix était toujours aimable, conciliante même, mais Chavasse commençait à comprendre la technique employée par l'officier chinois — du travail d'expert, admit-il à contre-cœur.

— Qu'envisagez-vous pour la suite ? questionna-t-il à brûle-pourpoint.

Le colonel Li haussa les épaules.

— Cela dépend entièrement de vous, mon ami. Si vous acceptiez de coopérer, votre sort en serait grandement amélioré.

Chavasse haussa un sourcil intéressé. Cela signifiait qu'un arrangement pouvait encore être conclu. Néanmoins, il n'était pas naïf non plus et savait que tout cela faisait partie d'une méthode d'interrogatoire qui ne lui était que trop familière.

— Ainsi, murmura-t-il à travers un rond de fumée, ma situation ne serait pas totalement désespérée ?

— Pas du tout désespérée, même, affirma le

colonel Li. Pour échapper à votre sort, il suffit que vous me disiez qui vous êtes réellement et quel était le but exact de votre mission à Changu.

— Que ferez-vous de moi lorsque j'aurai satisfait pleinement votre curiosité ?

L'officier chinois haussa les épaules.

— Nous sommes toujours prêts à faire une place dans notre société à un homme qui a admis librement ses erreurs.

Chavasse éclata de rire et écrasa sa cigarette dans le cendrier en jade posé sur un coin du bureau.

— Si vous n'avez rien de mieux à me proposer, je ne marche pas.

Le colonel Li tapota distraitement du bout des doigts sur le bord de son bureau. Il avait les mains fines et aristocratiques. Pas du tout des mains de travailleur manuel.

— C'est dommage... murmura-t-il. Vraiment dommage.

Il avait l'air sincèrement désolé et, tout en songeant à autre chose, Chavasse le considéra d'un air curieux et étrangement détaché — comme si c'était du sort de quelqu'un d'autre qu'ils étaient en train de discuter.

— Qu'est-ce qui est dommage ?

— Le fait que nous soyons dans des camps opposés. Je ne suis pas un idéologue politique et encore moins un fanatique. Je suis simplement un homme qui a toujours su s'adapter aux circonstances. Afin d'en tirer le meilleur parti pour moi, naturellement.

— J'espère que cela continuera de vous réussir, répondit Chavasse d'un ton légèrement ironique.

Le colonel Li sourit.

— Je ne suis pas inquiet à ce sujet. Voyez-vous, j'ai choisi le camp qui va gagner. De ce côté-là, je n'ai absolument aucun doute et je n'ai pas d'états d'âme non plus.

D'un geste machinal, il rangea les papiers sur son bureau pour en faire une pile propre et nette.

— Vous savez, vous avez encore le temps de changer d'avis.

Chavasse soupira et secoua la tête.

— Non merci, colonel. Vous pouvez passer tout de suite au deuxième chapitre.

L'officier chinois fronça les sourcils.

— Au deuxième chapitre ? Que voulez-vous dire par là ?

Une lueur amusée brilla dans les yeux de Chavasse.

— Je parlais de votre livre de chevet favori, Colonel. Pour être plus précis, du dernier ouvrage publié par le Comité central de Pékin : Le Manuel d'Instruction pour l'Interrogatoire des Prisonniers Politiques. On commence par être gentil, puis, si cela ne marche pas, on utilise des méthodes coercitives. Je n'ai pas besoin de vous faire un dessin. Les communistes sont réputés pour être des orfèvres en la matière.

Le colonel Li soupira.

— Décidément, les Occidentaux ont des idées bien étranges à notre égard.

Il appuya sur une sonnette et, presque aussitôt, le sergent et les deux hommes qui avaient accompagné Chavasse entrèrent dans le bureau.

— Quelle est la suite du programme ? questionna Chavasse en se levant avec lassitude.

— Cela dépend de vous, répondit l'officier chinois avec un haussement d'épaule indifférent. Je peux vous donner quelques heures pour réfléchir. Après cela...

Il ne termina pas sa phrase et, prenant un autre dossier sur son bureau, il l'ouvrit et commença à le lire.

Sans un mot, Chavasse se laissa emmener par le sergent et ses deux hommes. Après avoir suivi un long couloir, la petite troupe descendit un escalier de pierre et se retrouva dans un passage beaucoup plus large, éclairé par des lampes à gaz. Des portes en bois, garnies de clous et renforcées de plaques métalliques, s'alignaient de chaque côté du passage. Le sergent ouvrit l'une d'entre elles et poussa Chavasse à l'intérieur.

La cellule était minuscule. Deux mètres par deux, tout au plus. Il n'y avait pas de fenêtre et il n'y avait aucun mobilier, à part une étroite couchette métallique. La porte claqua derrière lui et il fut immédiatement plongé dans une profonde pénombre. Le plafond et les murs étaient luisants d'humidité et de moisi. Il avança prudemment, à tâtons, jusqu'à ce que ses mains rencontrent les montants de la couchette. Il n'y avait pas de matelas, mais dans l'état dans lequel il était, il aurait pu dormir à même le sol. Avec un soupir de soulagement, il s'allongea et ferma les yeux.

Ainsi, on lui avait accordé un répit. Il ne savait pas pourquoi, mais aussitôt, il se détendit. De toute façon, il n'avait plus la force de réfléchir. Il avait mal partout et une douleur lancinante lui vrillait le crâne. Il venait à peine de s'assoupir lorsque, brusquement, un horrible vacarme fit résonner les murs de la cellule.

Il se leva d'un bond, les nerfs à fleur de peau. Le vacarme provenait d'une grosse sonnette électrique qui était fixée juste au-dessus de la porte. Le son était strident, presque insoutenable. À côté de la sonnette, une lampe rouge clignotait à un rythme endiablé.

Une boule se forma dans le creux de son estomac. Il ne savait que trop quelle était la signification d'un tel réveil. Au bout de quelques instants, une clef grinça dans la serrure et la porte s'ouvrit.

Les mains sur les hanches, le sergent lui adressa un sourire énigmatique et, d'un geste de la main, l'invita à l'accompagner. Docilement, Chavasse obéit. Les deux soldats étaient là également. Au bout du passage, le sergent ouvrit une porte et une bourrasque de pluie leur fouetta le visage. Dehors, c'était toujours la nuit.

Laissant son prisonnier debout au milieu de la cour, le sergent se dirigea vers un camion garé à côté du poste de garde.

Le dos et les jambes lacérés par le vent glacial, Chavasse se demandait ce qui allait lui arriver, lorsque les phares du camion s'allumèrent et se fixèrent sur lui.

Le sergent revint, son pistolet à la main et fit un signe à ses hommes qui, aussitôt, se fondirent dans la pénombre. Chavasse attendit. Pour le moment, il semblait être seul avec le sergent. Les yeux fixés sur le pistolet, il s'apprêtait à faire un pas en avant lorsque, soudain, il fut inondé par un déluge d'eau froide. Un déluge si violent qu'il tituba et faillit tomber par terre, la tête la première. Il se retourna et reçut une nouvelle douche, en plein visage, cette fois-ci. Quand il reprit ses esprits, il vit les deux soldats qui riaient, un seau vide à la main.

Tout son corps se mit à trembler. Il ne parvenait plus à respirer, tellement il était transi de froid. Ses vêtements trempés lui collaient à la peau et meurtrissaient sa chair déjà endolorie par la volée de coups qu'il avait reçue la veille. En proie à un brusque sentiment de révolte, il fit un pas en avant, les poings serrés, mais avant qu'il ait eu le temps de frapper, le sergent lui décocha un coup de pied vicieux dans les reins. Dès qu'il fut à terre, les bottes des trois hommes entrèrent en action et labourèrent rageusement son corps sans défense.

***

Il gisait, à demi inconscient, le visage plaqué contre les pavés mouillés. Péniblement, il souleva les paupières et les phares du camion lui blessèrent les yeux, puis des voix résonnèrent au-dessus de lui. Il aurait voulu qu'on le laisse mourir tranquille, mais on le força brutalement à se lever et à marcher.

Quelques instants plus tard, à demi traîné, à demi porté, il se retrouva sans trop de surprise devant la porte du bureau du colonel Li. Comme la première fois, le sergent frappa respectueusement et attendit qu'on l'invite à entrer.

L'officier chinois était toujours derrière son bureau.

En attendant qu'il daigne lever la tête, Chavasse s'examina à nouveau dans le miroir. Le reflet que lui renvoya la glace le fit frissonner malgré lui. Il n'aurait pas déparé dans un tableau dépeignant les horreurs de la guerre. Des cheveux noirs plaqués sur un front livide, un œil à demi fermé, la joue droite enflée et ornée d'un énorme hématome violacé, la bouche sanguinolente et le devant de la chemise déchiré et maculé de boue et de sang.

Le colonel Li leva les yeux et soupira.

— Vous êtes un homme vraiment très obstiné, mon ami. Et pour gagner quoi, je vous le demande ?

La bouteille de whisky et les verres étaient encore là. Il remplit l'un des verres et le poussa à travers le bureau. Le soldat qui soutenait Chavasse le força à s'asseoir sur une chaise et le sergent porta le verre à ses lèvres.

Chavasse gémit lorsque l'alcool brûla ses plaies à vif, mais, au bout de quelques instants, une douce chaleur envahit son corps et il se sentit un peu mieux.

— Chapeau, murmura-t-il d'une voix cassée. Vous avez soigné la mise en scène.

Le visage du colonel Li s'empourpra.

— Vous ne vous imaginez tout de même pas que je prends plaisir à faire ce genre de travail ? Je ne suis pas un barbare et encore moins un bourreau !

D'un geste brusque, il appuya sur la sonnette de son bureau.

— C'est absurde. Nous avons assez joué au chat et à la souris. Je sais qui vous êtes et je connais absolument tout de votre passé.

La porte s'ouvrit et une jeune ordonnance chinoise entra et posa un dossier sur son bureau. Distraitement, Chavasse remarqua qu'elle avait de jolies jambes et que son uniforme lui allait comme un gant.

— Tout est là-dedans, déclara le colonel Li en agitant le dossier sous son nez. J'ai appelé Lhassa et ils ont immédiatement contacté nos services de renseignements à Pékin. Vous ne me croyez pas ?

Chavasse haussa les épaules.

— Cela reste à voir.

Le colonel Li ouvrit le dossier et commença à lire :

« Paul Chavasse, né à Paris en 1930, père français, mère anglaise. Possède donc la double nationalité. Études à la Sorbonne, à Cambridge et à Harvard. Linguiste émérite. Maître de conférence à l'université de Cambridge jusqu'en 1955. Recruté ensuite comme agent par le Bureau, un service ultra-secret utilisé par le gouvernement britannique dans la guerre souterraine qu'il mène constamment contre les États communistes. »

Chavasse ne ressentit aucun choc particulier en apprenant qu'ils connaissaient autant de choses à son sujet. Il n'eut même pas peur. Tout son corps n'était plus qu'une masse de chair douloureuse et le seul fait de garder les yeux ouverts était déjà un effort surhumain.

— Vos petits amis de Pékin ont vraiment beaucoup d'imagination, commenta-t-il avec un rictus qui aurait voulu être ironique.

Le colonel Li se leva d'un bond et lui jeta un regard furieux.

— Pourquoi m'obligez-vous à vous traiter ainsi ? Ce n'est pas raisonnable et indigne de l'homme intelligent que vous êtes.

Il fit le tour de son bureau et s'assit sur un coin de la table, à cinquante centimètres à peine de Chavasse.

— Allons, murmura-t-il d'une voix persuasive, comme s'il s'adressait à un enfant récalcitrant. Je ne vous demande pas grand-chose. Tout ce que je veux savoir, c'est ce que vous êtes venu faire ici. Quand vous me l'aurez dit, vous pourrez voir un médecin et je vous ferai donner un bon repas et un lit confortable.

Tandis qu'il parlait, tout s'était mis à tourner autour de Chavasse. Les images se brouillaient dans sa tête et se déformaient comme dans un miroir convexe ou concave. Le visage du Chinois était disproportionné, avec des lèvres énormes, un petit nez pointu qui remuait et un front et un menton fuyants. Sa voix était de plus en plus lointaine. Il ouvrit la bouche, mais aucun son ne réussit à en sortir.

Le colonel Li se rapprocha encore.

— Dites-moi ce que je veux savoir, Chavasse, insista-t-il. Je ne vous demande rien de plus. Ensuite, tout ira bien pour vous. Je vous le promets.

Chavasse réussit à lui cracher au visage, puis il y eut comme une explosion dans sa tête et il sombra dans un puits sans fond.

CHAPITRE DOUZE

Marchant péniblement sous la pluie, au dernier rang de la colonne, Chavasse n'avait plus rien d'humain ou presque. Il avait maigri, ses yeux étaient enfoncés dans les orbites, ses cheveux étaient collés en mèches grasses et une vieille shuba déchirée recouvrait tant bien que mal son corps efflanqué et infesté de vermine.

Il avait les poignets attachés à une corde. Une corde dont l'autre extrémité était fixée au pommeau de la haute selle en bois du cavalier qui marchait devant lui.

Il avait les jambes affreusement lourdes. La pluie qui lui fouettait le visage était glacée et il avait des crampes d'estomac, tellement il avait faim. Il ralentit légèrement et, aussitôt, le cavalier tira brutalement sur la corde et le fit tomber, tête la première dans la boue.

L'homme jura en chinois, tandis que Chavasse se relevait laborieusement et se remettait à avancer, tout en marmonnant en anglais entre ses dents.

Les chiens ! Si jamais il réussissait à leur

échapper, il leur ferait payer au centuple cette humiliation !

Relevant la tête, il jeta un regard noir au colonel Li qui chevauchait en tête de la colonne — une trentaine d'hommes armés de pistolets-mitrailleurs et montés sur des chevaux tibétains.

Chavasse avait toujours été surpris par le mélange de modernisme et d'archaïsme qui semblait être la marque de toute l'armée chinoise. En dépit de l'immensité de la zone qu'il était censé contrôler, le colonel Li ne disposait que de trois Jeeps et d'un camion et, lorsqu'il se rendait dans les villages reculés des hauts plateaux, il était obligé de se faire escorter par des hommes à cheval, ce qui rendait ses déplacements lents et périlleux.

La pluie redoubla et Chavasse courba le dos misérablement. Le froid le transperçait jusqu'aux os. Il était épuisé et s'il résistait encore, c'était au prix d'un effort de volonté surhumain.

Jamais, de toute sa vie, il n'avait été aussi bas et le seul fait qu'il l'admette était terriblement dangereux. Le colonel Li aurait été surpris s'il avait su combien il était près de craquer. D'un geste machinal, il s'essuya le visage sur ses bras et continua de mettre un pied devant l'autre en trébuchant presque à chaque pas.

Depuis trois semaines, il avait été battu et humilié de toutes les façons imaginables. Nuit après nuit, la sonnette de sa cellule avait résonné, la lampe rouge avait clignoté et parfois, sans que rien puisse l'en avertir, ses tortionnaires étaient venus le chercher.

Tout cela faisait partie d'un plan mûrement réfléchi. La bonne vieille technique que Pavlov avait d'abord expérimentée avec ses chiens. À ce

194

régime-là, les trois quarts des hommes finissaient par s'effondrer physiquement et moralement. À la fin de la cure, si le « patient » n'était pas mort, il était « régénéré » et allait grossir les rangs des adeptes du parti communiste.

Il se demanda quel sort avait été réservé à Katya et au Dr Hoffner. Aussi bien, ils n'avaient même pas été inquiétés. Et Joro ? Où diable était-il passé ? Depuis que Chavasse avait été capturé, le colonel Li ne lui avait pas parlé une seule fois du Tibétain, ce qui était plutôt bon signe.

La pluie martelait son visage et, renonçant à la chasser de ses yeux, il se réfugia en lui-même. Sans son extraordinaire capacité à s'abstraire de la réalité, il aurait lâché prise depuis longtemps.

Pendant un bref instant, il songea avec nostalgie à sa cellule. Au moins, il y était au sec et, de temps à autre, on lui apportait à manger. Puis il frissonna et se souvint de la nuit où ils étaient venus le chercher huit fois de suite, et du jour où le colonel Li et le capitaine Tsen s'étaient relayés pour l'interroger pendant vingt-quatre heures sans interruption.

Au fait, pourquoi le colonel Li avait-il décidé de l'emmener dans cette tournée d'inspection ? Un personnage bizarre ce colonel Li. Un visage et un ton aimables, des allures d'intellectuel raffiné et, derrière cette façade, une cruauté cynique et impitoyable.

Chavasse essaya d'imaginer la manière dont il le tuerait si jamais la situation venait à se renverser en sa faveur. C'était un petit jeu qui l'avait aidé à passer le temps dans sa cellule, mais, pour l'heure, il était trop fatigué pour réfléchir et élaborer de nouveaux supplices.

Il trébucha et tomba à nouveau, mais, cette fois-ci, le cavalier auquel il était attaché ne tira pas sur la corde pour le forcer à se relever. Quand Chavasse leva les yeux, il vit que la colonne s'était arrêtée à l'abri d'un amas de rochers qui dominait une vallée au fond de laquelle était niché un petit village.

Le cavalier détacha la corde du pommeau de sa selle et, profitant de ce moment de répit inespéré, Chavasse alla s'asseoir contre un rocher et appuya sa tête sur ses genoux.

Au bout de quelques instants, un caillou roula à côté de lui et la voix suave du colonel Li le sortit de sa torpeur.

— Mais, cher ami, vous avez l'air vraiment malade ! Puis-je faire quelque chose pour vous ?

Chavasse releva la tête et sa bouche se tordit en un rictus douloureux.

— Oui, acquiesça-t-il. Retirez-vous de mon soleil. Vous me faites de l'ombre.

Le colonel Li s'esclaffa.

— Je vois que vous avez encore le sens de l'humour, Paul.

Avec nonchalance, il alla s'asseoir sur un rocher et versa du thé chaud dans un gobelet en plastique.

— Vous en voulez ? proposa-t-il en lui tendant le gobelet.

Chavasse hésita une fraction de seconde, puis, d'un geste brusque, il prit le gobelet et en avala le contenu d'un seul trait.

Le thé était brûlant et il faillit s'étouffer.

— Vous ne devriez pas boire aussi vite, Paul, déclara le colonel Li avec un sourire patelin. C'est très mauvais pour la santé, vous savez.

Chavasse lui jeta un regard noir.

— Vous n'allez tout de même pas prétendre que c'est pour le bien de ma santé que vous m'avez emmené ici ?

— Non, mais c'est pour le bien de votre âme, Paul, affirma le colonel Li avec une gravité pleine de componction.

— Mon âme ! Je croyais que tout bon communiste se devait d'être athée. La religion ne serait-elle plus l'opium du peuple ?

Le colonel Li sourit avec complaisance.

— Vous avez raison. « Esprit » est sans doute un terme plus approprié en l'occurrence. Savez-vous, Paul, qu'au cours de ces trois dernières semaines, j'ai conçu une véritable affection à votre égard ? Une affection qui m'a renforcé dans ma détermination à vous gagner à notre cause. Il serait vraiment dommage qu'un être aussi exceptionnel continue de se fourvoyer ainsi dans une voie sans issue.

— Allez au diable ! répliqua Chavasse.

Li secoua la tête.

— Votre obstination est vraiment déraisonnable, mon cher. Moi aussi, je suis têtu, et je finis toujours par obtenir ce que je désire.

— Je ne l'avais pas remarqué.

— Vraiment ? Je sais déjà beaucoup de choses sur vous, Paul, et je suis prêt à parier que, tôt ou tard, vous finirez par me dire ce que vous êtes venu faire ici.

Chavasse haussa les épaules.

— Cela fait trois semaines que vous essayez et vous n'avez encore rien obtenu.

Le colonel Li s'esclaffa.

— Vous croyez ? Dès le premier soir, la camarade Stranoff m'a tout raconté. Vous êtes venu à

Changu pour aider le Dr Hoffner à quitter le Tibet.

Brusquement, Chavasse sentit que sa gorge était devenue affreusement sèche.

— Vous l'avez interrogée ?

— Bien sûr. Il était évident que votre présence chez Hoffner n'avait rien de fortuit. J'ai demandé au bon docteur de me dire ce qu'il savait, mais, naturellement, il a refusé. Vous comprenez, c'est un humaniste et un homme d'honneur. Il se ferait tuer, plutôt que de trahir quelqu'un qu'il a hébergé sous son toit. Lorsque je lui ai fait remarquer que son attitude pourrait avoir un effet néfaste sur nos relations futures, Katya est intervenue et m'a raconté toute l'histoire afin de lui épargner d'éventuels désagréments. Le Dr Hoffner n'a ni votre âge ni votre étonnante santé...

Chavasse hocha la tête.

— Ainsi, vous savez tout. Je suis content qu'elle ait eu le bon sens de vous dévoiler le but de ma mission. Qu'avez-vous fait d'eux ensuite ?

— Ils sont toujours dans la maison de Hoffner. Un jour ou l'autre, je devrai les envoyer à Lhassa, mais pas avant que cette affaire n'ait été complètement éclaircie.

— Mais, que voulez-vous savoir de plus ? s'enquit Chavasse en prenant un air étonné.

Le colonel Li haussa les épaules.

— Beaucoup de choses. Comment vous êtes entré au Tibet et qui vous a aidé quand vous êtes arrivé ici. Ce qu'il est advenu de Kurbsky et des hommes qui l'escortaient...

Chavasse soupira.

— Cela fait trois semaines que vous me posez ces questions. Ne vous lassez-vous donc jamais ?

— Non, Paul, je ne me lasse jamais, répliqua le colonel Li d'une voix brusquement glaciale. Et, en outre, je ne suis pas complètement idiot. Il y a quelque chose qui cloche dans cette affaire. Aucun service secret n'a jamais risqué la vie de l'un de ses meilleurs agents simplement pour aider un vieil homme à aller finir ses jours dans son pays. Logiquement, on vous a donc confié une autre mission. C'est cette mission que je veux connaître.

Chavasse éclata de rire.

— Vous feriez mieux de me faire fusiller tout de suite. Ainsi, tout serait réglé. Pour vous comme pour moi.

— Vous faire fusiller, Paul ? L'idée ne m'a même pas effleuré. Lorsque j'en aurai fini avec vous, je saurai tout ce que je désire savoir. C'est-à-dire la vérité. Toute la vérité. Et ce sera de votre plein gré que vous me la direz. Ensuite, vous irez à Pékin où, je n'en doute pas, le Comité central vous trouvera un poste dans lequel vous pourrez donner toute la mesure de vos immenses capacités intellectuelles.

— Tuez-moi, répliqua Chavasse. Ainsi, vous nous épargnerez à tous les deux d'inutiles tourments.

Le colonel Li secoua la tête.

— Non, Paul, j'ai décidé de vous aider. Je vous sauverai malgré vous.

Sur ces mots, il lui tourna le dos et rejoignit sa monture en tête de la colonne. Chavasse resta immobile, perdu dans ses pensées, puis, au bout de quelques instants, le soldat qui le gardait vint le chercher et fixa à nouveau la corde au pommeau de sa selle. La colonne s'ébranla et, la tête basse, Chavasse la suivit en trébuchant.

Ils descendaient vers la vallée, maintenant, et, lorsqu'ils approchèrent du village, des chiens se précipitèrent à leur rencontre en aboyant. Ils couraient dans tous les sens au milieu des jambes des chevaux et les soldats juraient et essayaient de les écarter en leur donnant des coups de pied.

Après les chiens, des enfants apparurent. Des enfants mal nourris et vêtus de haillons qui accompagnèrent la colonne, mais en restant à une certaine distance.

Chavasse avait rarement vu un village aussi misérable. Les maisons étaient, pour la plupart, des masures en torchis à demi en ruine et, avec la pluie, les rues s'étaient transformées en un horrible bourbier dans lequel ses pieds s'enfonçaient jusqu'à la cheville.

Sentant qu'il n'était pas en mesure de se défendre, les chiens montraient les dents et aboyaient tout près de ses mollets, tandis que les enfants couraient autour de lui en criant et en riant.

Après avoir remonté une rue un peu plus large que les autres, la colonne déboucha sur une vaste place au milieu de laquelle était érigée une plate-forme pavée. À l'abri de l'auvent qui la recouvrait, le chef du village attendait, entouré d'une poignée de notables, des paysans sans âge dont le corps était usé par les privations et par les rudes travaux des champs.

Le colonel Li arrêta son cheval devant eux, tandis que ses hommes parcouraient le village au galop et rassemblaient ses habitants sous la pluie, comme des cow-boys rassemblent du bétail.

En moins de dix minutes, deux ou trois cents personnes, hommes, femmes et enfants, se trouvèrent réunies sur la place. Le colonel Li fit un signe de la main et un soldat poussa Chavasse et le fit monter sur la plate-forme.

Tandis que les cavaliers s'alignaient autour de la plate-forme, Chavasse jeta un coup d'œil circulaire aux visages mornes et apathiques des paysans et se demanda ce que pouvait bien signifier une pareille mise en scène.

Il n'eut pas longtemps à attendre pour en avoir l'explication.

Le colonel Li se dressa sur ses étriers, leva la main pour réclamer le silence et s'adressa à la foule en tibétain.

— Gens de Sela, dans le passé, je vous ai parlé maintes fois de ces diables étrangers qui sont nos ennemis et les vôtres. Je veux parler de ces mécréants, venus de l'Occident, qui, après avoir asservi l'Inde et pillé ses richesses, auraient voulu également asservir le Tibet. Aujourd'hui, je vous amène l'un d'entre eux, afin que vous puissiez le contempler par vous-mêmes.

Il y eut un léger mouvement dans la foule, mais les visages restèrent impassibles et il poursuivit sur le même ton déclamatoire.

— Je pourrais vous énumérer tous les méfaits que cet homme a commis. Je pourrais vous dire qu'il a assassiné plusieurs de vos compatriotes et qu'il projetait d'autres crimes encore plus odieux, mais cela n'est rien en comparaison de l'acte diabolique dont il s'est rendu coupable. Un acte si diabolique que tous ses autres forfaits ne sont, en comparaison, que des vétilles qui méritent à peine d'être mentionnées.

Au fur et à mesure qu'il parlait, un silence lourd et pesant s'était instauré dans l'assistance et le colonel Li s'interrompit un instant pour ménager ses effets et accroître encore le suspense.

— Cet homme est l'un de ceux qui a enlevé le dalaï-lama — l'un des bandits à la solde de l'étranger qui a osé arracher le Dieu Vivant à son peuple pour le conduire en Inde où il est maintenant détenu en captivité !

Soudain, il y eut un cri au fond de la place, puis un autre, et, en un instant, la foule devint littéralement hystérique. Chavasse réussit à éviter la première pierre, mais la deuxième lui fit éclater l'arcade sourcilière et il se protégea à la hâte le visage avec les bras.

Bombardé de projectiles en tout genre — le plus souvent des excréments et des détritus arrachés à la boue de la place —, il se retrouva en quelques minutes recouvert de la tête aux pieds par une gangue aussi infâme que malodorante.

Le colonel Li fit alors cabrer son cheval et sa voix s'éleva à nouveau au-dessus de la clameur.

— À votre avis, quel est le châtiment que mérite un pareil monstre ?

L'espace d'un instant, la foule sembla hésiter, puis un cri jaillit de cent bouches à la fois :

« La mort ! La mort ! »

Sentant que des mains lui saisissaient les chevilles et le bord de sa shuba, Chavasse, pris de panique, se débattit et donna des coups de pied pour essayer de leur échapper. Puis, quelqu'un tira brutalement sur la corde qui ligotait ses poignets et il fut projeté en avant, la tête la première, au milieu de la foule.

Des jambes ! Partout des jambes ! Il aurait voulu crier, hurler, mais il avait la bouche pleine de boue. Non, ce n'était pas possible ! Il n'allait pas mourir de cette façon ignoble...

Il était sur le point d'étouffer, lorsque, soudain, il y eut un ordre bref, suivi par un piétinement de chevaux. La foule s'écarta avec précipitation et, tandis que les cavaliers dégageaient un cercle autour de lui, il se remit péniblement sur ses pieds. Les paysans le regardaient en silence, les yeux brûlants de haine.

Le colonel Li poussa son cheval en avant et les harangua à nouveau dans leur langue :

— Non, mes chers camarades, la mort de cet homme ne servirait à rien. Ce n'est qu'une marionnette manipulée par les vrais coupables qui, eux, ne sortent jamais de leur bureau, à Washington ou à Londres. Nous l'aiderons à se réformer, à se régénérer. Quand il aura compris que nous ne sommes pas ses ennemis, il rejoindra notre cause et combattra à nos côtés les forces du mal. N'est-ce pas mieux ainsi ?

Il y eut un long murmure dans la foule, mi-déçu, mi-approbateur. Puis, le colonel Li ordonna que tout le monde se disperse et rentre chez soi.

Quand les derniers villageois se furent éloignés, il se pencha en souriant vers Chavasse.

— Vous voyez, Paul, si je n'avais pas été là, ils vous auraient tué. N'est-ce pas la preuve que je suis vraiment votre ami ?

Chavasse lui jeta un regard plein de haine, mais ne trouva rien à lui répondre.

CHAPITRE TREIZE

Allongé dans la pénombre, Chavasse était plongé dans une sorte de léthargie, à mi-chemin entre le sommeil et le néant. Soudain, une sonnerie éclata dans sa tête et la cellule fut sillonnée par des éclats lumineux intermittents. Des éclats lumineux d'un rouge si écarlate qu'ils lui blessaient les yeux.

Il eut l'impression que la peau de son visage se tendait et que toutes ses extrémités nerveuses étaient soumises à une multitude de décharges électriques.

Il resta immobile, les yeux fixés vers le plafond, et attendit qu'on vienne le chercher. Car on allait venir le chercher. Il le sentait.

Au bout de quelques minutes, des bottes martelèrent les dalles de pierre du couloir et la clef grinça dans la serrure. Le pêne rentra avec un claquement sec dans sa gorge, le battant pivota et un rayon de lumière blanche et crue fendit la pénombre.

Lentement, très lentement, il fit basculer ses jambes, posa ses pieds par terre et se leva. Le sergent était seul. D'un bref mouvement de la tête, il lui fit signe de venir avec lui.

Chavasse obéit en traînant les pieds. Il n'avait rien mangé depuis trois jours et il éprouvait une étrange sensation. Il était léger, presque aérien... comme si son corps et son esprit n'étaient plus reliés que par un lien ténu et fragile.

Un calme immense l'envahit et, lorsqu'ils arrivèrent au bout du couloir, il se retourna et sourit à son gardien. N'était-il pas qu'une marionnette, lui aussi ? Bizarrement, le sergent ne lui rendit pas son sourire et il crut avoir perçu de la peur dans son regard.

De la peur ? Ce n'était tout de même pas de lui qu'il avait peur ! À cette idée, il sourit à nouveau et il souriait encore lorsqu'il s'arrêta quelques instants plus tard devant la porte qui donnait accès au service sur lequel régnait le capitaine Tsen.

Dans le premier bureau, une jeune ordonnance féminine était en train de taper un rapport à la machine. Elle leva les yeux, hocha brièvement la tête et le sergent fit entrer Chavasse dans le bureau de l'adjoint du colonel Li.

Le capitaine Tsen était en train de lire un rapport. Il ne leva pas les yeux et ignora délibérément son visiteur. La technique habituelle, se dit Chavasse avec un haussement d'épaule plein de philosophie. Le sergent était entré avec lui. Il lui jeta un coup d'œil et vit que ses yeux étaient toujours remplis d'une étrange terreur.

De quoi pouvait-il bien avoir peur ? Il réfléchit et, soudain, une grande lumière déchira les ténèbres confuses et enchevêtrées qui obscurcissaient son esprit. Ils ne savaient plus quelle

206

torture lui infliger ! Oui, c'était la seule réponse possible. Il avait gagné !

Le capitaine Tsen leva vers lui un regard dépourvu de toute expression. Il ouvrit la bouche et sa voix lui parut très lointaine, comme si elle lui parvenait de l'autre bout d'un tunnel.

De brèves formules de politesse furent échangées, puis l'officier chinois prit une feuille dactylographiée sur son bureau et commença à lire à voix haute. Cette fois-ci, Chavasse entendit distinctement chacun des mots qu'il prononçait.

« Compte rendu de la séance extraordinaire du Tribunal révolutionnaire. Pékin, le 5 décembre 1962.

« Après délibération, le dénommé Paul Chavasse, sujet de Sa Majesté britannique et citoyen français, a été reconnu coupable de crimes graves pouvant porter atteinte à la sécurité de la République populaire de Chine. »

Chavasse hocha la tête. Que pouvait-il dire ? Les faits qu'on lui reprochait étaient exacts et il n'avait aucune remarque à formuler, si ce n'était qu'il n'avait pas été présent à son procès. Un détail, en l'occurrence.

Il attendit, la tête droite, et Tsen poursuivit d'un ton monocorde.

« En conséquence, la cour, à l'unanimité de ses membres, a condamné le prisonnier à être fusillé. Le jour et l'heure de l'exécution sont laissés à la discrétion des autorités militaires qui détiennent le prisonnier. »

Chavasse eut l'impression qu'une digue s'était brisée en lui et, en un instant, il fut submergé par une vague d'émotion qui fit poindre des larmes dans ses yeux.

— Merci, murmura-t-il. Merci.

Tsen fronça les sourcils.

— Êtes-vous sûr que vous avez bien compris ? Vous allez être exécuté.

— Parfaitement, acquiesça Chavasse.

L'officier chinois haussa les épaules.

— Très bien. Déshabillez-vous.

Lentement, avec des doigts gourds et maladroits, Chavasse entreprit d'enlever ses vêtements, un à un. Lorsque sa chemise sale et déchirée tomba sur le parquet, Tsen se retourna vers le sergent.

— Examinez ces hardes, ordonna-t-il avec un dégoût évident. La loi est formelle. Un condamné ne doit pas échapper à sa sentence en se suicidant.

Lorsque Chavasse eut terminé, il resta debout devant le bureau, nu comme le jour de sa naissance, et regarda, non sans un certain étonnement, le sergent qui, accroupi par terre, examinait ses vêtements avec toute la minutie d'un fonctionnaire obéissant et zélé.

De l'autre côté du bureau, Tsen appuya sur sa sonnette et reprit la lecture de ses rapports. Au bout de quelques minutes, l'ordonnance féminine entra et passa à côté de Chavasse sans même lui accorder un regard. Tsen lui donna un paquet de documents et elle alla les ranger méthodiquement dans un fichier métallique au fond du bureau.

Chavasse attendait patiemment que le sergent ait terminé sa fouille, lorsque, brusquement, la porte s'ouvrit derrière lui. C'était le colonel Li.

Le regard de l'officier exprima une intense stupéfaction, remplacée presque aussitôt par une colère furibonde. En trois rapides enjambées, il traversa le bureau et souleva le capitaine Tsen par les revers de sa veste.

— Espèce d'âne bâté ! cria-t-il en secouant avec violence son subordonné. Tu ne crois pas qu'il a assez souffert ? Faut-il vraiment qu'il soit humilié à ce point ?

— Mais... Je... Je faisais seulement procéder à la fouille réglementaire qui doit être effectuée avant toute exécution, mon colonel, bredouilla Tsen. Les ordres du Comité central à ce sujet sont très explicites et la procédure à suivre est détaillée point par point.

— Hors de ma vue, abruti ! hurla le colonel. Et emmène cette maudite femme avec toi !

Le capitaine Tsen et l'ordonnance se retirèrent avec précipitation, tandis que le sergent aidait Chavasse à se rhabiller.

— Je suis désolé pour cet ultime affront, Paul, s'excusa le colonel Li. Vraiment désolé, croyez-moi.

Chavasse haussa les épaules avec dérision.

— Cela n'a pas d'importance. Plus rien n'a d'importance pour moi, maintenant.

— Ainsi, le capitaine Tsen vous a annoncé la nouvelle ?

— Oui, acquiesça Chavasse. J'ai gagné, finalement, n'est-ce pas ?

Une sincère tristesse envahit le visage du colonel Li.

— Vous savez que j'ai tout fait pour que cette affaire ait une autre issue, Paul, déclara-t-il d'un ton empreint de regret. Hélas, elle n'est plus maintenant de mon ressort. Vous avez été condamné à mort par le Comité central et je ne peux plus rien faire pour vous sauver.

— C'est bizarre, murmura Chavasse, mais je

me sens joyeux, comme libéré. J'ai souvent regretté ces derniers jours que mon pistolet se soit enrayé chez Hoffner, mais plus maintenant. Je suis content que vous soyez encore en vie. Ainsi, vous aurez peut-être compris que c'est moi qui défends la vraie liberté et non vous. Une liberté pour laquelle beaucoup d'hommes, comme moi, sont prêts à mourir.

Le colonel Li soupira et, lui tournant le dos, il alla se mettre devant la cheminée et regarda fixement les flammes qui dansaient sur les bûches.

— Ah, si seulement ils m'avaient donné encore un peu de temps ! regretta-t-il à voix basse. Juste quelques jours. Vous étiez tout près de céder, Paul. Beaucoup plus près que vous ne l'imaginez.

Chavasse secoua la tête.

— Détrompez-vous, Colonel. Vous ne m'auriez pas convaincu. L'huile et l'eau ne se mélangent pas. C'est de la chimie élémentaire. Nous sommes et nous serons toujours à des années-lumière l'un de l'autre.

Le colonel Li se retourna et frappa avec son poing fermé dans la paume de sa main.

— Pourtant, c'est nous qui avons raison, Paul ! Le communisme progresse dans le monde entier et son avancée est inexorable. Nous vaincrons, parce que nous allons dans le sens de l'histoire, alors que vous, vous vous raccrochez à des théories et à des valeurs qui appartiennent au passé.

— Peut-être, concéda Chavasse, mais vos dirigeants et vos idéologues ont oublié un paramètre : l'être humain. Un paramètre changeant et versatile qui aime la liberté plus que tout. Au vu de vos victoires actuelles, vous croyez que la partie est gagnée, mais elle n'est jamais gagnée. Rien n'est jamais certain sur cette terre, ni pour vous, ni pour moi, ni pour personne.

Le colonel Li haussa les épaules.

— Je vois que je perds mon temps à parler avec vous.

Il rectifia sa position, claqua des talons et lui tendit la main.

— Adieu, Paul. Dommage que nous ne nous soyons pas connus dans d'autres circonstances.

Machinalement, Chavasse lui serra la main. Au point où il en était, cela n'avait plus guère d'importance non plus.

— Adieu, Colonel.

Le sergent lui ouvrit la porte et, l'un derrière l'autre, ils sortirent dans le couloir.

Quand ils arrivèrent devant la porte de sa cellule, il s'arrêta, mais le sergent le poussa en avant jusqu'à une autre porte, tout au bout du corridor.

Sa nouvelle cellule était plongée dans la pénombre et il avança à tâtons, les bras tendus devant lui. Après qu'il eut fait deux ou trois pas, le bout de sa botte heurta le montant d'un lit métallique et, juste à cet instant, une lumière blanche et crue s'alluma au plafond.

Un homme était couché sur le lit. Ses vêtements étaient maculés de sang et il avait les mains croisées sur la poitrine, comme s'il était mort. Ses yeux étaient fermés et aucun son ne sortait de ses lèvres tuméfiées. La peau de son visage avait l'apparence de la cire et son teint était si translucide qu'on pouvait presque distinguer les os des pommettes et du nez. Un visage dont l'expression portait encore la marque d'une incroyable souffrance.

Chavasse se laissa tomber sur le bord du lit et secoua la tête lentement. Ce n'était pas possible !

— Joro ! murmura-t-il d'une voix sourde.
Joro !

D'un geste hésitant, il effleura du bout des doigts le visage froid du jeune homme.

Avec une lenteur incroyable, les paupières du Tibétain s'ouvrirent et ses yeux le regardèrent fixement, puis une lueur de vie, fragile et ténue, brilla dans ses pupilles. Il ouvrit la bouche pour parler, mais aucun son ne réussit à en sortir et, au bout de quelques instants, sa tête retomba en arrière et il referma les yeux.

Chavasse se prit le visage entre les mains. Plus rien ne lui semblait réel. C'était comme si le monde entier avait basculé dans un horrible cauchemar. En son for intérieur, il murmura une longue prière. Mon Dieu, comment des hommes pouvaient-ils traiter d'autres hommes de cette façon ?

Les minutes passèrent, une à une, puis, après un temps qui lui parut démesurément long, des pas résonnèrent dans le couloir et la porte s'ouvrit.

C'était le sergent. Il était accompagné par quatre soldats. Deux d'entre eux saisirent Joro par les jambes et par les épaules et sortirent de la cellule. Machinalement, Chavasse leur emboîta le pas.

Lorsque le sergent ouvrit la porte au bout du corridor, une bourrasque de pluie pénétra à l'intérieur. Dehors, le jour était en train de se lever dans un ciel noir et menaçant. Il faisait très froid et les pavés gris luisaient sinistrement.

Le capitaine Tsen était debout au milieu de la cour, à côté d'un peloton de six hommes armés de fusils. En face de lui, contre le mur d'enceinte, deux poteaux en bois avaient été fichés en terre, à trois mètres l'un de l'autre.

Chavasse resta immobile pendant que les soldats attachaient Joro, toujours inconscient, à l'un des poteaux. Puis, ils vinrent le chercher et, sans ménagement, ils l'attachèrent à l'autre poteau. Les cordes étaient très serrées et lui entamaient les bras douloureusement, mais il ne ressentait aucune peur.

Quand ils eurent terminé leur tâche, les soldats et le sergent se retirèrent sur le côté et tout le monde attendit.

Enfin, une porte s'ouvrit et le colonel Li apparut en haut de l'escalier de l'entrée principale. Il était en grand uniforme et en gants blancs. Le capitaine Tsen se retourna vers lui, se mit au garde-à-vous et le salua.

Lentement, le colonel descendit les marches et s'avança au milieu de la cour, les mains derrière le dos. Là, il regarda Chavasse droit dans les yeux, puis il claqua des talons, salua brièvement et s'écarta de quelques pas.

Aussitôt, Tsen aboya un ordre. Les six hommes du peloton pivotèrent d'un quart de tour et saisirent leur fusil.

— En joue !

Les six fusils se braquèrent sur les condamnés. Chavasse eut l'impression qu'il regardait la scène par le petit bout d'une lunette. Tous les bruits lui parvenaient assourdis, comme s'ils venaient de très loin. Il vit Tsen ouvrir la bouche. Lorsque son bras commença à retomber, il ferma les yeux.

— Feu !

Le bruit des détonations se répercuta à l'infini

sur les murs. Il n'avait rien ressenti. Pourtant, il devrait être mort...

Dans le profond silence qui s'ensuivit, il entendit des pas qui s'approchaient de lui et il ouvrit les yeux. Joro avait la tête penchée en avant et son corps sans vie pendait lamentablement, comme un pantin désarticulé. Une mare de sang était en train de se former au pied du poteau auquel il était attaché. Le colonel Li s'approcha du supplicié et l'examina avec une indifférence glaciale.

Tandis que Chavasse regardait la scène sans comprendre, ou, plutôt, sans que son esprit hébété accepte de comprendre ce que voyaient ses yeux, le capitaine Tsen cria un ordre bref. Aussitôt, le sergent s'approcha de Chavasse et entreprit de le détacher.

Dès qu'il fut libre, le colonel Li s'avança vers lui, le visage calme et détaché.

— Surtout, regardez bien, Paul, déclara-t-il d'une voix grave. C'est de votre faute si ce jeune imbécile a perdu la vie. C'est vous, et personne d'autre, qui l'avez entraîné dans cette stupide aventure.

Chavasse était encore trop horrifié pour être en mesure de se justifier. Il secoua la tête. Tout son corps tremblait d'une façon irrépressible.

— Pourquoi ? murmura-t-il d'une voix rauque. Pourquoi m'avez-vous épargné ?

Avec une lenteur délibérée, le colonel Li inséra une cigarette dans son fume-cigarette en jade et se pencha pour accepter le feu que lui offrait le sergent. Puis il se redressa, souffla vers le ciel deux ou trois ronds de fumée et un sourire ironique erra sur ses lèvres.

214

— Allons, mon cher Paul, vous n'imaginiez tout de même pas que j'en avais fini avec vous ?

Tandis qu'un cri sourd explosait en lui, Chavasse se jeta en avant, les mains tendues vers la gorge de l'officier chinois. Une révolte inutile et dérisoire. Un poing s'abattit sur sa nuque, un pied lui fit un croc-en-jambe et il s'effondra, la tête la première, sur les pavés.

CHAPITRE QUATORZE

La lumière s'approchait et s'éloignait tour à tour. C'était exaspérant ! Pourquoi ne pouvait-elle donc pas rester au même endroit ? Ce mouvement perpétuel lui donnait le tournis. Péniblement, il s'arracha aux ténèbres du néant et réussit à ouvrir les yeux.

Il était allongé dans un lit. La chambre dans laquelle il se trouvait était très étroite et il y flottait une odeur d'éther et d'eau de Javel, l'odeur caractéristique des hôpitaux du monde entier.

Une lampe recouverte d'un abat-jour était posée sur une petite table de chevet, juste à côté de sa tête. Dans un coin de la pièce, une jeune infirmière chinoise lisait un livre, assise sur une chaise métallique. Lorsqu'il remua, elle posa son livre et alla ouvrir la porte.

— Allez chercher le médecin, ordonna-t-elle à quelqu'un dans le couloir, avant de refermer la porte et de se retourner vers Chavasse.

— Ainsi, je suis toujours dans le monde des vivants, murmura-t-il en grimaçant un sourire. Décidément, la vie est pleine de surprises.

Elle posa la main sur son front. Le contact de sa peau était frais et agréable.

— Reposez-vous, déclara-t-elle. Dans l'état où vous êtes, il vaudrait même mieux que vous ne parliez pas.

Docilement, il ferma les yeux. Quelques instants plus tard, la porte s'ouvrit et il souleva à nouveau ses paupières. Le médecin avait un visage imberbe et aimable, avec une myriade de petites rides sur le front et autour des yeux. D'un geste plein de douceur, il lui prit le poignet et regarda sa montre.

— Comment vous sentez-vous ? questionna-t-il.

— Complètement vidé ! répondit Chavasse avec franchise.

Le médecin sourit.

— Vous avez une étonnante constitution. Après avoir subi ce que vous avez subi, un homme normal serait déjà mort depuis longtemps.

— Il aurait peut-être mieux valu que je meure, rétorqua Chavasse. Vos compatriotes sont vraiment très doués lorsqu'il s'agit de martyriser un être humain.

Le médecin haussa les épaules.

— Je ne fais pas de politique. Je soigne les gens et peu m'importe ce qu'ils ont fait ou ce qu'on leur reproche. Vous vivrez. Pour moi, c'est la seule chose qui compte.

— Dans mon pays, on appelle cela la politique de l'autruche, murmura Chavasse. Vous savez, cet animal qui enfouit sa tête dans la terre pour ne pas voir ce qui se passe autour de lui...

À cet instant, on frappa discrètement à la porte et l'infirmière alla ouvrir.

— Le colonel Li vient d'arriver, annonça une voix dans le couloir.

Le médecin se retourna au moment où le colonel entrait dans la chambre.

— Pas plus d'un quart d'heure, s'il vous plaît, Colonel, déclara-t-il. Il a encore besoin de beaucoup de sommeil. Je vous verrai demain matin, ajouta-t-il en adressant un bref sourire à son patient.

Il sortit, suivi par l'infirmière, et l'officier chinois s'avança vers le lit de Chavasse. Il avait l'air en pleine forme et pas un pli ne manquait à son uniforme.

— Hello, Paul, dit-il d'une voix suave. Comment vous sentez-vous, ce soir ?

— Je me sentirais mieux avec une cigarette, répondit Chavasse.

Le colonel Li tira une chaise, s'assit à califourchon et lui tendit son paquet de cigarettes.

— Cela va déjà mieux, murmura Chavasse après avoir inhalé une longue bouffée de fumée.

Son visiteur hocha la tête.

— Je suppose que vous appréciez également votre nouveau régime. Un bon bain, des draps propres, un lit confortable... Vous êtes gâté.

— Oui, mais combien de temps cela durera-t-il ?

Le colonel Li haussa les épaules.

— Mon cher Paul, cela dépend entièrement de vous.

— Je m'en doutais, répliqua Chavasse d'une voix amère. Vous avez eu peur que je meure n'est-ce pas ? Cela expliquerait ce traitement de faveur. Dès que je serai à peu près remis sur pied, je retournerai dans ma bonne vieille cellule et vous recommencerez votre cirque.

— Vous avez deviné juste, Paul, acquiesça le colonel Li. Nous reprendrons les choses à zéro. Si j'étais à votre place, cela me donnerait à réfléchir.

— Pour ce qui est de réfléchir, vous n'avez pas à vous inquiéter, répondit Chavasse. C'est la seule chose que je suis encore capable de faire.

Le colonel Li se leva et se dirigea vers la porte.

— Il est inutile que je vous fatigue plus longtemps, mon cher Paul. À propos, vous êtes au troisième étage du monastère et il y a un garde devant votre porte. Alors, ne faites pas de bêtise.

Chavasse soupira.

— Je n'ai même pas assez de force pour aller tout seul aux toilettes.

Un vague sourire erra sur les lèvres de l'officier chinois.

— Reposez-vous. Je reviendrai vous voir demain matin.

La porte se referma sans bruit sur lui et Chavasse regarda fixement le plafond. Une chose était certaine. Il préférait mourir plutôt que de subir à nouveau le traitement qu'on lui avait infligé. Cela étant, il n'avait absolument rien à perdre.

D'un geste brusque, il repoussa ses couvertures et posa les pieds par terre. Il avait la tête qui tournait. Il prit une profonde inspiration, se leva et commença à marcher.

Il se sentait curieusement léger et il avait l'impression que ses jambes étaient en coton. En arrivant au bout de sa chambre, il fit demi-tour et revint s'asseoir sur son lit.

Lorsqu'il eut repris son souffle, il effectua un deuxième essai. C'était déjà mieux. Il y avait un placard dans le fond de la chambre. Il l'ouvrit, le cœur plein d'espoir, mais déchanta immédiatement. Il était vide, à part une robe de chambre et une paire de pantoufles. Il le referma, alla sans bruit jusqu'à la fenêtre et jeta avec prudence un coup d'œil à l'extérieur.

Dès que ses yeux se furent habitués à la pénombre, il vit que le sol était au moins douze mètres plus bas. Découragé, il retourna à son lit et se recoucha. Il venait à peine de tirer les draps sur lui, lorsque la porte s'ouvrit. C'était la jeune infirmière.

— Comment vous sentez-vous ? questionna-t-elle tout en bordant son lit avec des gestes rapides et efficaces.

Il gémit et répondit d'une voix éteinte.

— Pas très bien. Je crois que je vais essayer de dormir.

Elle hocha la tête et une lueur de compassion brilla dans son regard.

— Je reviendrai vous voir plus tard. Reposez-vous, c'est ce que vous avez de mieux à faire.

Sur ces mots, elle sortit de la chambre aussi silencieusement qu'elle était entrée.

Chavasse sourit en lui-même. Pour le moment, tout allait bien. Il se leva et alla à pas de loup jusqu'à la porte. Un murmure de conversation lui parvint à travers le battant. L'infirmière était en train de bavarder avec quelqu'un dans le couloir.

— Je vous plains, l'entendit-il déclarer avec un éclat de rire cristallin. Je m'ennuierais à mourir si je devais passer toute la nuit assise sur cette chaise !

Une voix d'homme lui répondit.

— Tenez-moi donc compagnie, ma petite reine. Je suis sûr qu'avec une aussi jolie créature à côté de moi, je ne verrai même pas le temps passer !

L'infirmière rit à nouveau.

— Je reviendrai le voir à onze heures et demie. D'ici là, si vous êtes sage, je vous ferai porter quelque chose de chaud à boire.

Le bruit de ses pas s'éloigna le long du couloir et Chavasse entendit un craquement. Le soldat avait dû se rasseoir sur sa chaise.

Il n'avait qu'un seul atout en sa faveur — la surprise. S'il ne s'enfuyait pas maintenant, il n'en aurait plus jamais l'occasion. Avec un peu de chance, cette nuit, ils relâcheraient peut-être un peu leur surveillance. Ils le croyaient tellement faible qu'ils ne pouvaient sans doute même pas l'imaginer en train de songer à s'évader.

Il prit la robe de chambre et les pantoufles dans le placard, les enfila, éteignit sa lampe de chevet et alla regarder par la fenêtre.

L'entrée principale de l'hôpital était légèrement sur la droite. Elle était éclairée par une lanterne qui se balançait au bout d'une applique en fer. Il pleuvait. Un petit crachin dont les fines gouttelettes se reflétaient avec des éclats argentés dans la lumière jaune de la lanterne. Il ouvrit la fenêtre et se pencha à l'extérieur.

À droite et à gauche, des fenêtres s'alignaient, calfeutrées par des volets pleins dont les interstices laissaient parfois filtrer un rai de lumière. Au-dessus de lui, la voie était barrée également, car la gouttière était beaucoup trop haute pour qu'il puisse songer à l'agripper et à effectuer un rétablissement.

Tandis qu'il se penchait et regardait au-dessous de lui, une bourrasque de pluie lui fouetta le visage. Il n'y avait ni lumière ni volets dans la pièce juste au-dessous de sa chambre.

Il ne songea même pas au danger qu'il courait. En un tour de main, il arracha les draps et les couvertures de son lit et entreprit de les attacher ensemble pour constituer une corde de fortune. Les tuyaux du chauffage central passaient sous l'appui de fenêtre. Il y fixa solidement l'une des extrémités de sa corde improvisée et jeta l'autre extrémité dans la nuit.

Puis, sans hésiter un seul instant, il enjamba l'appui de fenêtre et se laissa glisser le long des draps. Le vent glacé transperçait le tissu léger de sa robe de chambre et la pluie l'aveuglait, mais, très vite, ses pieds se posèrent sur le rebord extérieur de la fenêtre de la pièce du dessous.

Il se balança pendant quelques instants, suspendu à sa ligne de survie et, lorsqu'il eut réussi à trouver un équilibre précaire, il essaya d'ouvrir la fenêtre. Elle était fermée. Il n'hésita qu'une fraction de seconde. Il donna un coup sec avec son coude dans un carreau. Juste à cet instant-là, il y eut une rafale de vent qui couvrit le bruit du verre brisé. Ensuite, il passa la main à travers le trou et tourna la crémone. Un coup d'épaule et il se retrouva accroupi dans une pénombre tiède et feutrée où prédominait l'odeur de la naphtaline.

Des étagères en bois, des piles de couvertures... Apparemment, il était dans une réserve. Un rayon de lumière filtrait sous la porte en face de lui. Après avoir repris son souffle, il l'ouvrit avec précaution. Le couloir était désert. Il sortit, referma la porte derrière lui et se mit à avancer lentement, tous ses sens en alerte. Il n'avait aucune idée de ce qu'il allait faire et n'avait même pas envie de réfléchir. Le mieux était qu'il s'en remette au hasard. Il se sentait calme et fataliste, car, étrangement, tout au fond de lui-même, il était convaincu que son coup de poker allait réussir.

Lorsqu'il arriva au bout du corridor, il entendit un bruit de conversation. Il jeta un coup d'œil et vit deux soldats qui montaient la garde en haut d'un grand escalier. Ils étaient tous les deux armés de pistolets-mitrailleurs.

Visiblement, le colonel Li n'avait pris aucun risque. Il repartit en sens inverse, mais, alors qu'il n'était pas encore revenu à son point de départ, il entendit des pas et des voix qui venaient dans sa direction. Il y avait une petite porte derrière lui. Il l'ouvrit, s'engouffra dans le noir et referma doucement le battant.

Dès que ses yeux se furent habitués à la pénombre, il se rendit compte qu'il était en haut d'un étroit escalier en colimaçon. Les marches de pierre étaient glissantes et il descendit prudemment, à tâtons. Quand il fut arrivé en bas, il ouvrit une autre porte et se retrouva dans un long couloir peint à la chaux.

Il le suivit d'un pas rapide, en jetant un coup d'œil au passage à l'intérieur des pièces qui s'alignaient de part et d'autre du couloir. Soudain, il entendit des voix derrière une porte légèrement entrouverte. Deux soldats étaient en train de manger, assis à une table en bois. Ils riaient et échangeaient des plaisanteries. Il continua son chemin sur la pointe des pieds et arriva dans un cul-de-sac, avec une porte de chaque côté. Il ouvrit la première et découvrit une rangée de lavabos et de douches. L'autre pièce était plus intéressante. Elle était occupée par une demi-douzaine de lits en fer et par autant d'armoires métalliques. Visiblement, il était dans l'une des chambrées des soldats qui gardaient l'hôpital.

Toutes les armoires contenaient les mêmes effets. Des uniformes de rechange, et quelques objets personnels. Il saisit le premier uniforme qui lui parut à peu près à sa taille, une paire de bottes et entreprit de se changer.

Quand il eut terminé, il s'examina dans une vieille glace accrochée à l'intérieur d'une armoire. Avec un peu de chance, il devrait réussir à donner le change. Il ne lui manquait plus que la touche finale.

Il trouva ce qu'il cherchait tout en haut de la dernière armoire. Une casquette de l'armée populaire chinoise avec son étoile rouge juste au-dessus de la visière. Elle était à sa taille. Il la tira sur son front afin de dissimuler le plus possible son visage. À cet instant, la porte s'ouvrit et un soldat entra.

C'était un jeune paysan aux jambes arquées et au visage hâlé par les travaux des champs. Il ouvrit des yeux ronds et resta sans voix, les bras ballants.

Chavasse ne lui laissa pas le temps de revenir de sa surprise. D'un geste rapide, il saisit une vieille chaise en bois et l'abattit de toutes ses forces sur la tête et les épaules du malheureux conscrit.

L'homme tomba à genoux en poussant un horrible gémissement. Il tenta de se redresser et sa main saisit le poignard-baïonnette qui était accroché à son ceinturon, mais Chavasse l'envoya à nouveau rouler par terre d'un violent coup de pied dans le ventre et acheva de l'assommer avec la chaise. Puis, voyant qu'il ne bougeait plus, il ouvrit la porte et sortit de la chambrée.

À l'autre bout du couloir, il gravit un petit escalier et se trouva devant une nouvelle porte. Elle donnait sur un passage qui conduisait au hall principal de l'hôpital.

À l'entrée, dans un édicule en bois et en verre, deux soldats buvaient du thé, assis derrière une sorte de guichet.

La tête baissée, Chavasse traversa le hall d'un pas faussement nonchalant. Lorsqu'il passa devant le guichet, l'un des soldats jeta un coup d'œil par-dessus son épaule et lui adressa une remarque grivoise, ponctuée par un éclat de rire. En guise de réponse, Chavasse lui fit un signe de la main amical et sortit dans la nuit sans se retourner.

Une Jeep était garée au pied de l'escalier, sa capote relevée contre la pluie et le froid. Il n'hésita qu'une fraction de seconde. En trois rapides enjambées, il descendit les marches et s'assit derrière le volant. La clef était sur le contact ! Le moteur devait être encore chaud, car il démarra immédiatement. Il desserra le frein à main et avança au ralenti, afin de ne pas attirer l'attention des soldats qui montaient la garde dans le hall.

Il regarda dans son rétroviseur, prêt à enfoncer l'accélérateur au cas où l'alarme viendrait à être donnée, mais rien ne se produisit et il parvint sans encombre au portail d'entrée de la cour. Un soldat était en faction dans une guérite. Chavasse ralentit, mais, d'un geste de la main, l'homme lui fit signe qu'il pouvait passer. Il lui rendit son salut, sortit de l'hôpital et prit la direction du centre de Changu.

Lorsqu'il arrêta sa Jeep dans la cour de la maison de Hoffner, il continuait de pleuvoir par intermittence et le vent était toujours aussi froid et pénétrant. Cela avait été facile — presque trop facile. Il mit pied à terre et, en montant les marches du perron, il se dit qu'il était encore beaucoup trop tôt pour crier victoire. Il était fatigué, horriblement fatigué, et il avait la tête qui tournait, comme s'il avait trop bu.

D'un geste machinal, il tira sur la chaîne et la cloche résonna lugubrement dans les ténèbres qui enveloppaient la maison. Épuisé, il appuya son front contre la porte. Au bout de quelques instants, le battant s'ouvrit brusquement et il tituba à l'intérieur.

Aussitôt, des bras se tendirent vers lui et l'aidèrent à garder son équilibre. Des bras pleins de douceur et de force, tout à la fois. Katya... Le visage de la jeune femme brilla dans la lumière d'une bougie et il poussa un profond soupir. Il était sauvé.

CHAPITRE QUINZE

Il faisait chaud et on avait l'impression d'être très loin du monde extérieur et de la pluie qui fouettait inlassablement les volets. Accroupie devant la cheminée, Katya faisait du thé, tandis que Chavasse, torse nu, se laissait examiner par le Dr Hoffner.

Après l'avoir ausculté pendant un long moment avec son stéthoscope, le Dr Hoffner se redressa, le visage grave.

— Vous devriez être à l'hôpital, Paul, déclara-t-il en secouant la tête. Physiquement, vous êtes vraiment à la limite de l'épuisement.

— Si je reste trop longtemps dans les parages, mon état ne pourra que se dégrader encore plus, répondit Chavasse. Ce dont j'ai besoin, c'est un médicament qui me donne un coup de fouet et m'aide à tenir pendant un certain temps. Pouvez-vous faire quelque chose pour moi ?

Hoffner hocha la tête.

— Oui, mais le répit sera court, déclara-t-il tout en prenant une petite ampoule en verre et une seringue dans sa sacoche.

— Pouvez-vous être plus précis ? questionna Chavasse.

— Environ vingt-quatre heures, répondit Hoffner. Cependant, étant donné votre état, je ne puis rien vous promettre avec certitude. Je vous donnerai une autre ampoule. Ainsi, vous disposerez de deux jours. Ensuite, il faudra impérativement vous reposer, si vous ne voulez pas risquer un arrêt du cœur brutal et définitif.

— À ce moment-là, je serai au Cachemire, de l'autre côté de la frontière.

Il sentit à peine la piqûre de l'aiguille. Pendant qu'il finissait de se rhabiller, Katya se retourna et lui tendit un bol en porcelaine. Le thé était brûlant et il le but avec délice.

— Quand avez-vous l'intention de partir ? demanda-t-elle.

Il fronça les sourcils.

— N'était-il pas convenu que nous partions tous les trois ?

Le visage grave, elle posa la main sur son genou.

— Je sais que votre vie serait en danger si vous restiez ici, Paul, mais le Dr Hoffner est un homme âgé et malade. Il y a au moins deux cents kilomètres jusqu'à la frontière et la route est très mauvaise. Jamais il n'y arrivera.

— Si, affirma Chavasse. J'ai une Jeep militaire dans la cour et son réservoir est plein. En maintenant une allure raisonnable, nous n'aurons aucune peine à aller jusqu'au-delà de Rudok. Ensuite, nous n'aurons plus qu'à franchir le col de Pangong Tso. Quelques kilomètres à pied, tout au plus.

— Et son cœur ? objecta-t-elle. Jamais il ne supportera une altitude aussi élevée !

230

Hoffner l'aida à se lever et posa les mains paternellement sur ses épaules.

— Moi aussi, il faut que je parte, Katya. Tu dois le comprendre et comprendre également que mon plus cher désir est que tu viennes avec nous.

D'un geste brusque, Chavasse boutonna le dernier bouton de sa veste.

— Puis-je vous rappeler que nous n'avons plus beaucoup de temps ? Dans moins d'une demi-heure, ils découvriront mon évasion et le colonel Li lancera tous ses sbires à mes trousses.

La jeune femme secoua la tête.

— Mais pourquoi est-il aussi impératif que vous vous en alliez, Docteur ? Il y a quelque chose que vous me cachez.

Hoffner jeta un coup d'œil à Chavasse et celui-ci hocha brièvement la tête.

— C'est vrai, acquiesça le vieil homme d'une voix pleine de douceur. Nous n'avons pas été complètement honnêtes avec toi. Vois-tu, il se trouve que j'ai fait une importante découverte. Une découverte qui pourrait modifier d'une façon significative de nombreuses théories mathématiques.

— Et encore, c'est un euphémisme, commenta Chavasse.

Le Dr Hoffner ne se laissa pas distraire par sa remarque.

— Cela signifie, poursuivit-il, que je suis devenu brusquement un personnage important, non seulement pour mon pays, mais également pour le monde occidental tout entier.

Au fur et à mesure qu'il parlait, une lueur de tristesse s'était mise à briller dans les yeux de la jeune femme.

— Pourquoi ne m'avez-vous pas dit cela aupa-ravant ? N'aviez-vous pas confiance en moi ? Ai-je donc aussi peu d'importance pour vous ? Pour vous deux ? ajouta-t-elle en se retournant vers Chavasse.

— Nous ne voulions pas te poser un cas de conscience, expliqua Hoffner. Aider un vieil homme à aller finir ses jours dans son pays était une chose, mais tu n'aurais peut-être pas accepté de commettre un acte susceptible de nuire à ton pays.

Très doucement, elle lui prit la main et l'appuya contre sa joue.

— Vous êtes ma seule patrie ! affirma-t-elle d'une voix vibrante d'émotion. À part vous et Paul, je n'ai aucune famille. Personne à qui je sois vraiment attachée.

Chavasse la prit dans ses bras et, lorsqu'il l'embrassa, il vit que des larmes roulaient sur ses joues. Elle lui sourit, mais, presque aussitôt, son sourire s'effaça et une lueur d'effroi brilla dans son regard.

— Paul... murmura-t-elle. Derrière toi...

Au même moment, il sentit un courant d'air froid. Un courant d'air qui lui glaça le dos et le fit frissonner de la tête aux pieds. Il repoussa doucement la jeune femme et se retourna.

Le capitaine Tsen était debout devant la porte. Il était accompagné par un homme armé d'un pistolet-mitrailleur. Le cuisinier chinois de Hoffner.

Une joie mauvaise éclairait le visage de l'officier chinois.

— Ainsi, nous avons enfin découvert la vérité, monsieur Chavasse, déclara-t-il d'une voix triomphante. Je suis sûr que vous apprécierez notre

232

petit stratagème, mais, maintenant, la comédie est terminée.

Il aurait dû s'en douter ! se dit Chavasse avec amertume. Son évasion avait été trop facile. Le colonel Li était trop fin psychologue pour ne pas avoir deviné qu'il tenterait le tout pour le tout. Il avait fait sciemment relâcher sa surveillance et, comme un imbécile, il s'était jeté tête baissée dans le piège qu'il lui avait tendu.

Hoffner fit un pas en avant et s'interposa entre Chavasse et les deux hommes.

— Écoutez, capitaine, je...

— Écartez-vous, Docteur ! l'interrompit Tsen d'un ton sec.

Pendant une fraction de seconde, l'attention du cuisinier se détourna vers le docteur Hoffner. Il n'en fallait pas plus pour Chavasse. D'un mouvement brusque, il renversa le guéridon sur lequel était posé le chandelier qui éclairait la bibliothèque et plongea derrière un canapé en cuir.

Instinctivement, le cuisinier se retourna et lâcha une rafale dans sa direction, mais, dans la pénombre, il ne pouvait pas ajuster son tir et les balles firent seulement voler en éclats la vitrine derrière Chavasse. Alors qu'il braquait à nouveau son arme, Katya se jeta en avant.

— Non, Paul ! Non !

Les balles crépitèrent. Elle poussa un cri et se prit le visage à deux mains, avant de tomber de tout son long sur le tapis devant la cheminée. Sans bruit, Chavasse rampa dans la pénombre et risqua un coup d'œil par-dessus l'accoudoir d'un fauteuil.

Tsen et le cuisinier étaient toujours devant la porte. Hoffner était agenouillé à côté de Katya.

— Vous ne pouvez pas nous échapper, Chavasse ! cria Tsen. Sortez, les mains en l'air !

Très doucement, Chavasse saisit un bibelot qui était posé sur une petite table. Puis, le bras levé, il attendit, parfaitement immobile et silencieux.

— Je suis en train de perdre patience, déclara Tsen en scrutant la pénombre pour essayer de déterminer où il était.

Protégé par le fauteuil, Chavasse lança le bibelot à l'autre bout de la pièce. Puis, tandis que le cuisinier se retournait et tirait dans la direction du bruit, il bondit hors de sa cachette. Deux rapides enjambées, un coup de manchette à la nuque... Le Chinois tomba à genoux et, d'un geste rapide, il lui arracha son pistolet-mitrailleur.

Tsen avait eu à peine le temps de dégainer son automatique. En voyant le canon du pistolet-mitrailleur braqué sur lui, il lâcha son arme avec précipitation et leva les bras. Chavasse se pencha, ramassa l'automatique et le glissa dans sa poche.

— Si je ne vous abats pas tout de suite, c'est pour une seule et unique raison, dit-il d'une voix glaciale. J'ai besoin de vous pour quitter Changu. Maintenant, enlevez votre ceinture et tournez-vous.

Tsen obéit, les yeux remplis de haine et de peur. Chavasse lui attacha les mains dans le dos avec la ceinture et le fit asseoir brutalement sur une chaise. Accroupi devant la cheminée, Hoffner avait ouvert sa sacoche et était en train d'éponger le sang qui coulait sur le visage de Katya.

— Est-ce grave ? questionna Chavasse.

— Elle a eu de la chance, répondit Hoffner. La

234

balle lui a seulement éraflé la tempe. Néanmoins, elle a été fortement commotionnée et il faudra peut-être un certain temps avant qu'elle reprenne ses esprits.

— Est-elle en état de voyager ?

Hoffner haussa les épaules.

— Je n'en sais rien. De toute façon, nous ne pouvons pas la laisser ici après ce qui vient de se passer.

Chavasse posa le pistolet-mitrailleur à côté de lui.

— Je vais aller chercher des couvertures et des vêtements chauds dans les chambres, déclara-t-il. Je vous laisse ce joujou au cas où notre ami voudrait vous faire des ennuis.

Lorsqu'il revint, cinq minutes plus tard, les bras chargés de couvertures et de manteaux, Hoffner avait fini de panser la blessure de la jeune femme et était en train de lui faire une piqûre.

— De la pénicilline, expliqua-t-il en refermant sa sacoche et en se levant. Il vaut mieux éviter une infection.

Très doucement, Chavasse souleva Katya dans ses bras et, avec l'aide de Hoffner, il l'emmitoufla dans un épais manteau en peau de mouton. Ensuite, il la porta jusqu'à la Jeep, pendant que Hoffner se préparait. Dehors, il pleuvait et un vent froid balayait la cour. La jeune femme était toujours inanimée. Il l'installa confortablement à l'arrière du véhicule et rentra à la hâte dans la maison.

Hoffner était debout au milieu de la bibliothèque. Il avait revêtu un long manteau de fourrure et un bonnet tibétain lui protégeait la tête et les oreilles. Le pistolet-mitrailleur avait quelque chose d'incongru entre ses mains.

Il regardait autour de lui en fronçant les sourcils.

— Qu'ai-je donc bien pu oublier ? murmura-t-il d'un air perplexe.

Puis, brusquement, son visage s'éclaira.

— Ah oui !

En trois rapides enjambées, il alla jusqu'à son bureau, ouvrit un tiroir et en sortit une vieille serviette en cuir.

— Vos notes de calcul ? questionna Chavasse.

Hoffner hocha la tête.

— Il n'y a rien d'autre que vous désireriez emporter ?

Le vieil homme jeta un coup d'œil circulaire aux vitrines de la bibliothèque et soupira.

— Non. Ou plutôt si, cette maison et tout ce qu'elle contient. Mais, comme ce n'est pas possible, il vaut mieux que nous nous en allions avant que je devienne sentimental, ajouta-t-il en se baissant et en prenant sa sacoche médicale.

Tsen était toujours assis sur sa chaise.

— Jamais vous ne réussirez à vous en sortir ! marmonna-t-il en leur jetant un regard mauvais.

D'un geste brutal, Chavasse l'obligea à se lever.

— Peut-être, mais, comme dit le proverbe, la fortune sourit aux audacieux. Et, puis, tu vas nous servir de viatique pour sortir de la ville. Évidemment, il est possible que le colonel Li, à ton retour, ne soit pas très content de l'aide que tu nous auras apportée contre ton gré...

Tsen, brusquement, devint très pâle, mais Chavasse n'éprouva aucune pitié à son égard. Le souvenir de la façon dont il avait traité Joro était trop vivace dans sa mémoire. Sans aucun ména-

236

gement, il le poussa dans le hall et le suivit, son pistolet-mitrailleur à la main.

Lorsqu'ils arrivèrent à la Jeep, Hoffner s'assit à l'arrière et Chavasse se mit au volant, tandis que Tsen prenait place à côté de lui.

C'était le milieu de la nuit et les rues étaient complètement désertes. Lorsqu'ils approchèrent de la vieille porte fortifiée, Chavasse sortit l'automatique de sa poche et le posa sur ses genoux.

— Tâche d'être convaincant, dit-il à Tsen d'une voix menaçante. Si jamais les choses tournent mal, je n'hésiterai pas à te brûler la cervelle.

Il n'y avait pas de guérite et le soldat qui montait la garde était recroquevillé comme une âme en peine dans un imperméable trop grand pour lui.

Chavasse ralentit et la sentinelle s'avança au milieu de la route, son pistolet-mitrailleur à la main. Tsen se pencha à sa portière et hurla :

— Espèce d'imbécile, qu'attends-tu pour nous ouvrir ? Je suis pressé !

Le soldat s'arrêta net, l'air complètement ahuri, puis il se précipita vers la porte et ouvrit en grand les deux battants.

La visière de sa casquette sur les yeux, Chavasse embraya et ils franchirent l'enceinte de la ville, salués par la sentinelle au garde-à-vous. Quand ils furent sortis, il jeta un bref coup d'œil derrière lui et vit que les battants étaient en train de se refermer. Une fois de plus, grâce à son audace, il avait gagné, se dit-il en changeant de vitesse et en accélérant.

Après avoir traversé le camp des bergers nomades, accompagnés par les aboiements des chiens, ils quittèrent la vallée et laissèrent Changu loin derrière eux.

Au bout d'une vingtaine de minutes, Chavasse s'arrêta et se retourna vers Tsen.

— Descends ! ordonna-t-il d'un ton sec.

L'officier chinois protesta.

— Ici ? Au milieu de la montagne ? Ne pour-riez-vous pas au moins me détacher les poi-gnets ?

— Je t'ai dit de descendre ! répliqua Chavasse avec froideur.

Tant bien que mal, Tsen ouvrit sa portière et mit pied à terre.

Alors qu'il était déjà à quelques mètres de la Jeep, Chavasse descendit également et le rejoi-gnit.

— Capitaine Tsen ! Un dernier mot avant que nous nous quittions.

L'officier chinois se retourna et le regarda d'un air méfiant.

— Oui ?

— J'allais oublier de te faire payer ce que tu as fait à Joro et à tant d'autres innocents.

Sur ces mots, il leva son automatique et l'abat-tit d'une balle en pleine tête, presque à bout por-tant.

Puis, sans un regard derrière lui, il retourna à la Jeep et se remit au volant.

CHAPITRE SEIZE

Dans la grisaille de l'aube, le blanc et l'ocre des murs de Yalung Gompa apportaient une touche de couleur dans un paysage rendu encore plus austère par les nuages noirs et menaçants qui se bousculaient dans le ciel. Chavasse fronça les sourcils. Il y avait quelque chose de bizarre, comme s'il manquait quelque chose... Mais quoi donc ? Soudain, alors qu'il descendait vers l'étroite vallée, son regard s'éclaira. Les tentes des nomades ! Elles n'étaient plus là et plus aucun yak ne paissait dans les prairies autour de la lamaserie.

Mais il y avait autre chose également qui avait changé. Les bâtiments avaient un aspect négligé, mal entretenu et, à mesure qu'il approchait, il avait même l'impression que le monastère était en ruine, comme inhabité depuis des lustres. Les portes de la cour étaient ouvertes à deux battants. Il entra lentement et donna un coup de frein brutal en voyant le spectacle qui s'offrait à ses yeux.

La cour était parsemée de corps sans vie. Des moines, pour la plupart, encore habillés de leurs longues robes jaune safran. Certains étaient recroquevillés sur eux-mêmes, comme s'ils avaient beaucoup souffert avant de mourir, alors que d'autres étaient seulement allongés par terre, le visage tourné vers le ciel ou enfoui dans la boue.

— Oh, mon Dieu ! murmura Hoffner d'une voix horrifiée.

— Cela vous donne une petite idée de la façon dont les Chinois traitent les gens de ce pays, déclara Chavasse en regardant autour de lui d'un air sombre. Restez ici. Je vais aller jeter un coup d'œil aux alentours.

Un peu plus tôt, il avait exploré le vide-poche sous le tableau de bord et y avait trouvé, outre une excellente carte d'état-major de la région, deux grenades à manche et des bandes de munitions sans doute destinées à la mitrailleuse qui, en temps normal, devait être montée à l'arrière du véhicule. Il rechargea rapidement son pistolet-mitrailleur, mit une poignée de cartouches dans sa poche et se dirigea vers la porte du bâtiment dans lequel il avait été soigné après la mort de Kurbsky.

À l'intérieur, il faisait froid et il n'y avait pas de lumière. Son arme braquée devant lui, il avança lentement le long d'un couloir pavé de grandes pierres irrégulières. Au bout de quelques instants, un murmure lui parvint — un murmure qui semblait provenir des profondeurs du bâtiment. Il ralentit encore sa progression, l'oreille aux aguets. Soudain, franchissant une porte basse et étroite, il se retrouva dans une vaste salle. Le grand temple dont lui avait parlé Joro. Tout au fond, un vieux moine psalmodiait des prières et brûlait des cierges, agenouillé devant une grande statue dorée de Bouddha. En entendant ses pas, il se retourna et Chavasse découvrit le visage parcheminé du lama qui l'avait soigné.

— Ah, c'est vous ! déclara-t-il d'une voix calme et paisible. Je suis content de vous voir.

— Moi aussi. Que s'est-il passé ici ?

Le vieux lama soupira.

— Les Chinois ont décrété que tous les monastères devaient être fermés. Nous savions que notre tour viendrait un jour ou l'autre. Ils sont venus hier. Un détachement de cavalerie.

— Et les hommes de Joro ? questionna Chavasse. N'ont-ils pas pu vous défendre ?

— Ils sont partis il y a deux semaines pour rejoindre un autre groupe de résistants dans le Sud.

Il posa la main sur l'épaule de Chavasse et ses yeux pleins de sagesse l'examinèrent longuement.

— Vous aussi, vous avez souffert, mon fils. Cela se voit dans votre regard.

— Joro est mort, murmura Chavasse.

— Je sais, acquiesça le vieux lama avec fatalisme. Aucun homme ne peut échapper à son destin. Puis-je faire quelque chose pour vous aider ?

— Peut-être... Il faut que je passe la frontière du Cachemire avec deux amis. J'avais espéré que les hommes de Joro pourraient me servir de guides.

Le moine réfléchit pendant une seconde ou deux avant de lui répondre.

— Une famille s'est arrêtée ici il y a deux jours. Des Kazakhs du Sin-kiang. Un chef de tribu, sa femme et leurs deux enfants. Eux aussi espéraient se rendre au Cachemire. Leurs chevaux étaient lourdement chargés. Avec un peu de chance, vous parviendrez à les rattraper.

Chavasse hocha la tête.

— Il faut que j'y aille maintenant. Vous êtes sûr que je ne pourrais pas faire quelque chose pour vous ? questionna-t-il d'une voix hésitante.

Le vieux lama sourit. Un sourire grave et empreint de résignation.

— Non, mon fils. Plus personne ne peut plus rien pour moi.

Sur ces mots, il se remit à genoux et recommença à psalmodier des prières d'une voix lente et monotone.

Chavasse resta immobile pendant un instant, puis, sans bruit, il sortit du temple et retourna à la Jeep.

Tout en reprenant place derrière le volant, il jeta un coup d'œil à Katya.

— Comment va-t-elle ? questionna-t-il.

— Pour le moment, répondit Hoffner, elle est dans une phase de sommeil profond. Normalement, elle devrait revenir à elle dans les prochaines heures. Avez-vous trouvé quelqu'un ?

Avant de lui répondre, Chavasse démarra le moteur de la Jeep.

— Oui. Un vieux moine qui a réussi à échapper au massacre. Il n'a pas voulu venir avec nous. Il ne faut pas que nous nous attardions ici. Le colonel Li est sans doute déjà à nos trousses.

— Vous croyez qu'il aura beaucoup d'hommes avec lui ?

Chavasse secoua la tête.

— Je ne pense pas, déclara-t-il tout en effectuant un rapide demi-tour. Pour qu'il ait une chance de nous rattraper, il faut qu'il utilise ses Jeeps. Or, il ne lui en reste que deux. Il n'aura donc pu emmener que sept ou huit hommes, tout au plus.

— N'y a-t-il pas une garnison à Rudok ?

— Si. Joro m'a dit qu'il y avait dix hommes et un sergent, mais la région n'est pas sûre et ils ne s'aventurent guère hors de la ville.

— Il y a la radio, objecta Hoffner. Le colonel Li a dû les prévenir dès qu'il a eu connaissance de votre évasion.

Chavasse haussa les épaules.

— Aussi bien, ils n'en sont même pas équipés... Pour ce genre de choses, l'armée chinoise a un retard étonnant. En tout cas, il est peu probable que, avec leurs chevaux, ils nous retrouvent au milieu de cette steppe.

— Vous croyez vraiment que nous avons une chance de nous en sortir ? questionna Hoffner après quelques instants de silence.

— Neuf chances sur dix, affirma Chavasse. Il y a tout le temps des gens qui passent cette frontière. Le Cachemire est plein de réfugiés. D'ailleurs, le moine que j'ai vu m'a dit qu'une famille kazakhe du Sin-kiang s'était arrêtée à Yalung Gompa il y a deux jours, en route pour la frontière. Si nous parvenons à les rejoindre, leur aide nous sera précieuse pour franchir le col.

Hoffner fronça les sourcils.

— Des Kazakhs ? répéta-t-il. Pourquoi donc ont-ils décidé de quitter le Sin-kiang ?

Chavasse soupira.

— J'ai l'impression, Docteur, que vous allez avoir un choc en revenant dans le monde libre, tellement les Chinois vous ont tenu à l'écart de ce qui se passait à l'extérieur de Changu. En 1951, les Kazakhs ont tenté de former un gouvernement autonome. Les Chinois ont invité leurs chefs à venir discuter avec eux et les ont massacrés sauvagement.

— Leur répression s'est-elle exercée également sur les gens du peuple ? questionna Hoffner d'un air surpris.

— Oui. Depuis lors, les candidats au départ se sont multipliés. Des familles et même, parfois, des tribus entières. Ils sont rassemblés dans plusieurs camps au Cachemire et le gouvernement turc en a installé un certain nombre sur le plateau d'Anatolie.

— On dirait que j'ai été encore plus coupé du monde que je ne l'imaginais, murmura Hoffner avec amertume.

Les sourcils froncés, il s'enfonça dans son siège et ne fit pas d'autre tentative de conversation.

Deux heures plus tard, environ, la neige se mit à tomber. Des gros flocons qui collaient tellement au pare-brise que Chavasse dut faire marcher les essuie-glaces.

Ils traversèrent la route militaire de Yarkand et, quelques minutes plus tard, Chavasse aperçut le lac au bord duquel Kerensky les avait déposés, lui et Joro, un mois plus tôt. Il avait l'impression qu'une éternité s'était écoulée depuis lors. Une éternité jalonnée de cadavres. Kurbsky, Joro, Tsen...

Il se demanda si le Polonais avait pu rentrer à sa base et, soudain, un large sourire éclaira son visage. S'il y avait quelqu'un avec qui il avait envie de boire un verre, c'était bien avec lui.

Soudain, Katya gémit et remua dans son sommeil.

— Elle est en train de se réveiller, Paul, murmura Hoffner en posant la main sur son épaule.

Chavasse arrêta la Jeep et se retourna vers la jeune femme. Ses joues avaient perdu leurs couleurs et la grosse bande qui lui entourait la tête accentuait tous les creux de son visage.

Son manteau en peau de mouton avait l'air trois fois trop grand pour elle et Chavasse la considéra avec un sourire plein de tendresse.

— Hello, mon ange, murmura-t-il.

Les yeux noirs de la jeune femme exprimèrent une profonde stupéfaction et elle essaya de se redresser, mais Hoffner la repoussa doucement en arrière.

— Non, Katya, déclara-t-il, tu es encore trop fatiguée. Il faut que tu te reposes.

Elle fronça les sourcils, repoussa sa main et se redressa. Autour de la Jeep, la neige tombait inlassablement sur le paysage désolé.

— Où sommes-nous ? questionna-t-elle en regardant autour d'elle avec stupeur.

— Quelque part au nord de Rudok, à quarante-cinq kilomètres environ de la frontière, lui répondit Chavasse avec un large sourire. Dans peu de temps — quelques heures tout au plus —, nous aurons retrouvé la civilisation. La vraie civilisation, où chacun peut se promener librement et dire ce qu'il veut sans risquer d'être emprisonné et torturé. Avec, en plus, des salles de bains et un chauffage central qui fonctionne.

Machinalement, la jeune femme tâta le bandage qui lui enveloppait la tête.

— Que s'est-il passé ?

— Il y a eu une fusillade et une balle t'a éraflé la tempe, lui répondit Hoffner d'une voix apaisante. Ta blessure n'a rien de grave et tu n'as aucune raison de t'inquiéter. Il faut seulement que tu te reposes. Tu auras besoin de toutes tes forces pour la dernière étape.

La jeune femme ne répondit rien et, s'enfonçant dans son coin, elle tira sur son visage le capuchon de son manteau en peau de mouton. Chavasse se pencha pour redémarrer le moteur, mais Hoffner lui prit le bras et lui fit signe d'écouter.

— Juste un instant, murmura-t-il. Je crois que j'ai entendu quelque chose.

Chavasse releva la tête, les sourcils froncés et, presque aussitôt, il distingua le ronronnement, encore faible, d'un moteur. Le bruit venait de derrière.

— Qu'est-ce que c'est ? questionna Katya avec curiosité.

— Sans doute le colonel Li, déclara Chavasse d'une voix sombre tout en démarrant. Apparemment, il est beaucoup plus près que je ne le pensais.

— Il a dû rouler à fond ! cria Hoffner pour se faire entendre par-dessus le rugissement du moteur.

— Ce n'est pas étonnant, lui répondit Chavasse. Si nous parvenons à lui échapper, le Comité central de Pékin ne le lui pardonnera pas. Ce sera la fin de sa carrière et cela pourrait même lui coûter la vie.

Hoffner hocha la tête.

— Tel que je le connais, il préférerait encore mourir plutôt que de devoir renoncer à sa carrière !

Chavasse ne répondit pas, car il avait besoin de toute son attention pour rester sur l'étroite piste caravanière qu'ils venaient de rejoindre après avoir quitté les vastes étendues ondulantes de la

246

steppe. Très mal entretenu, le chemin serpentait à flanc de coteau et ses ornières étaient recouvertes de plaques de glace sur lesquelles les pneus de la Jeep avaient beaucoup de mal à adhérer.

Au bout d'un moment, le ravin qu'ils suivaient s'élargit et la piste plongea vers un grand canyon qui s'enfonçait au cœur de la montagne. Tout en bas, au fond du ravin, Chavasse aperçut un pont. Il s'arrêta pour examiner la carte, puis il rétrograda et amorça une prudente descente. Le pont était un ouvrage en bois très étroit — une simple chaussée de planches supportée par des grosses poutres à peine équarries. Une chaussée qui n'était même pas pourvue de parapets.

Il freina, sauta à terre et avança jusqu'au milieu du pont. À six mètres au-dessous du tablier, un torrent de montagne roulait des eaux paisibles entre des bancs de sable et de gros rochers arrondis et polis par le temps. C'était bien assez haut pour qu'un véhicule se fracasse en mille morceaux.

— Il tiendra ? questionna Hoffner.

— Il est solide comme un roc, répondit Chavasse d'une voix aussi convaincante que possible. Il pourrait supporter sans peine un camion de trois tonnes.

Il se remit au volant de la Jeep et avança lentement. Il avait quelques centimètres à peine de marge de chaque côté. Si jamais les pneus venaient à glisser... Des gouttes de sueur lui coulaient dans le dos. Vers le milieu du pont, les planches craquèrent dangereusement, mais elles ne cédèrent pas et, à son grand soulagement, ils arrivèrent sains et saufs sur l'autre rive.

Une chose restait à faire. Il arrêta la Jeep, prit

l'une des grenades à manche et retourna à pied jusqu'au milieu du pont. Là, il s'accroupit, coinça la grenade entre deux planches, retira la goupille et partit en courant se mettre à l'abri. Il venait à peine de se jeter à plat ventre derrière un rocher lorsque l'explosion déchira le silence de la vallée et se répercuta sur les parois rocheuses du canyon.

Il attendit une seconde ou deux et, quand il se redressa, il vit que toute la partie centrale du tablier avait volé en éclats. Seules les poutres maîtresses étaient encore en place et il faudrait sans doute plusieurs journées de travail pour rendre la chaussée à nouveau praticable.

Il fit quelques pas en avant pour mieux se rendre compte des dégâts, mais, au même instant, un bruit de moteur lui fit relever la tête. Deux Jeeps venaient d'apparaître en haut de la côte qu'il avait descendue quelques minutes auparavant. Elles étaient toutes les deux bourrées de soldats et une mitrailleuse légère était montée à l'arrière de la première.

Le colonel Li !

Il fit demi-tour et courut vers la Jeep. Vite ! Le contact... Le moteur démarra au quart de tour et il embraya. Trop brutalement. Les pneus crissèrent et patinèrent sur le sol gelé. Luttant contre un brusque sentiment de panique, il braqua légèrement son volant et accéléra progressivement. Cette fois, les pneus accrochèrent le sol. Ils étaient sauvés ! Aussitôt, il changea de vitesse, appuya à fond sur l'accélérateur et, entraînée par ses quatre roues motrices, la Jeep bondit en avant, tandis qu'une rafale de mitrailleuse traçait un long sillon dans la neige, à quelques mètres à peine derrière eux.

Après une longue montée sinueuse, la piste contournait la base d'une gigantesque aiguille rocheuse. Comme la pente était moins raide, Chavasse accéléra et braqua légèrement pour négocier la courbe.

— Paul, attention !

Chavasse avait freiné avant même que Katya ait crié, mais il était déjà trop tard.

Un éboulis ! Un pan entier de la montagne s'était détaché et avait emporté la chaussée. Il tira désespérément sur le frein à main et pendant un bref instant, il crut qu'il allait réussir à arrêter leur glissade vers le gouffre, mais, soudain, une roue, puis deux basculèrent dans le vide.

Ce n'était plus le moment de musarder ! Il ouvrit sa portière, se jeta à l'extérieur et tendit la main à la jeune femme pour l'aider à sortir du véhicule. Hoffner la suivit en serrant sa sacoche médicale contre sa poitrine.

Au même instant, il y eut un craquement sinistre et la Jeep commença de glisser. Chavasse eut tout juste le temps de récupérer le pistolet-mitrailleur et la grenade à manche. Pendant quelques fractions de seconde, le véhicule resta comme suspendu en l'air, avant de basculer sur lui-même. Il rebondit trois fois sur les rochers, puis un silence lourd et oppressant succéda au fracas des tôles brisées.

Laissant Hoffner et Katya, Chavasse rebroussa chemin pour aller jeter un coup d'œil par-dessus la crête du ravin. Le vent poussait les nuages de neige vers la montagne et les flocons commençaient à tomber en rangs serrés, mais, néanmoins, il réussit à apercevoir les Jeeps arrêtées de l'autre côté du pont. Un groupe de soldats avait entrepris de descendre dans le lit du torrent.

— La situation est critique, déclara-t-il d'une voix sombre lorsqu'il fut revenu auprès de ses compagnons. Ils sont en train de traverser à gué.

Katya avait l'air tendue et nerveuse, mais Hoffner était étrangement calme.

— Que faisons-nous maintenant, Paul ? questionna-t-il.

— D'après la carte, nous sommes à une quinzaine de kilomètres de la frontière, lui répondit Chavasse. Si nous quittons la piste ici et traversons les contreforts de cette montagne, nous arriverons directement dans le col de Pangong Tso. À environ trois kilomètres du col, il y avait autrefois un poste de douane tibétain. Des soldats y seront peut-être stationnés, naturellement, mais c'est un risque à prendre.

— Jamais nous n'y arriverons, Paul ! s'exclama Katya d'une voix blanche. Je ne suis pas en état de marcher et le cœur du docteur ne pourra pas résister à un pareil effort !

— Nous n'avons pas le choix, répondit Chavasse en lui prenant le bras et l'entraînant derrière lui.

Hoffner prit l'autre bras de la jeune femme et ils commencèrent à monter, courbés en deux pour se protéger de la neige qui leur fouettait le visage. Au bout d'un moment, ils firent une pause à l'abri d'un rocher en surplomb. Ils venaient à peine de reprendre leur souffle lorsque, soudain, Hoffner se tourna vers Chavasse, le visage blême.

— Mes papiers, Paul ! Je les ai laissés dans la Jeep.

Chavasse dut faire un terrible effort sur lui-même pour ne pas perdre son calme. Ce n'était pas possible ! Tout ce qu'il avait fait, tout ce qu'il avait enduré ces dernières semaines n'aurait donc servi à rien !

Devinant son désarroi, Hoffner posa impulsivement la main sur son bras.

— Cela n'a pas d'importance, Paul. Tout est dans ma tête. C'est la seule chose qui compte, n'est-ce pas ?

Chavasse soupira.

— Cela n'aurait pas d'importance si le colonel Li n'était pas en mesure de mettre la main sur eux. Il faut que j'aille les chercher.

D'un geste brusque, il lui mit la grenade dans la main.

— Tenez, prenez ceci. En cas de besoin, il vous suffira de la dégoupiller et de la lancer en direction de vos assaillants. En attendant qu'ils soient assez près, naturellement.

Puis, sans attendre sa réponse, il dévala la pente en courant, son pistolet-mitrailleur dans la main gauche. De retour à la piste, il ne fit même pas une pause et se laissa glisser dans l'éboulis jusqu'à l'épave de la Jeep, qui avait été arrêtée par un gros rocher, une dizaine de mètres en contrebas.

Il trouva presque immédiatement la serviette. Elle était tombée de la banquette arrière et s'était coincée sous l'un des sièges avant. Il s'en empara et entreprit de remonter l'éboulis. Son cœur battait à se rompre et il avait un goût de sang dans la bouche, mais, sans lâcher le pistolet-mitrailleur et la serviette, il réussit à se hisser sur la piste.

Il était en train de reprendre son souffle, lorsque des cris lui parvinrent, assourdis par la neige

251

qui tombait de plus en plus dru. Les soldats chinois ! Ils étaient à cent mètres à peine de lui. D'un mouvement rapide, il mit un genou à terre, braqua son pistolet-mitrailleur dans leur direction et vida son chargeur d'une seule longue rafale. Puis, sans attendre de voir le résultat de son tir, il se releva et se jeta à corps perdu sur la pente qu'il avait dévalée quelques instants plus tôt.

Trois hommes, au moins, s'étaient lancés à sa poursuite. Il entendait le bruit de leurs pas et, parfois, une balle sifflait au-dessus de sa tête. Combien de secondes lui restait-il à vivre ? Il avait l'impression d'être une bête traquée par une meute de chiens. C'était l'hallali, la curée...

Puis, alors qu'il n'espérait même plus un miracle, la grenade qu'il avait donnée à Hoffner vola au-dessus de lui et explosa au milieu de ses poursuivants. Instinctivement, il s'était jeté à terre. Quand il se redressa, il n'y avait plus derrière lui que les cris des blessés et des mourants.

L'effort qu'il venait de produire avait eu raison de ses dernières forces. Il tomba à genoux et, pendant plusieurs secondes, il resta immobile, incapable de faire un mouvement ou même de penser. Une bourrasque de neige plus forte que les autres le rappela à la réalité. Il ne pouvait pas rester là. Il lui fallait continuer, coûte que coûte.

Il venait de se remettre debout péniblement, lorsqu'un bruit de sabots lui fit relever la tête. Un cavalier était en train de descendre à sa rencontre !

Ce n'était ni un Chinois ni un Tibétain. Il portait une toque de fourrure, un manteau en peau de léopard des neiges, des bottes souples au cuir noir et lustré. Il tenait ses rênes d'une main et un fusil de l'autre.

Ami ou ennemi ?

Une lueur d'incertitude brilla dans les yeux de Chavasse, mais, presque aussitôt, un large sourire éclaira le visage noble et fier du cavalier.

CHAPITRE DIX-SEPT

Fouettée par le vent, la neige tourbillonnait et noyait les steppes et la vallée sous un épais manteau blanc, mais un calme étrange, presque irréel, régnait dans les rochers au milieu desquels ils avaient trouvé refuge.

Assis, le dos appuyé contre une paroi vertigineuse, Chavasse avait retourné sa manche et attendait que Hoffner lui fasse une deuxième piqûre. Osman Shérif, le chef kazakh, était accroupi à côté de lui, son fusil sur les genoux.

— Les voies d'Allah sont souvent impénétrables, mon ami, déclara-t-il en chinois. Apparemment, il a voulu que nous accomplissions ensemble la dernière étape de notre voyage.

Sa femme se tenait un peu en retrait, à côté de Katya, et leurs deux jeunes enfants, chaudement emmitouflés, étaient juchés l'un derrière l'autre sur l'un des chevaux.

Dès que Hoffner lui eut fait sa piqûre, Chavasse laissa retomber sa manche et se leva.

— Il faut partir, déclara-t-il. Si nous nous attardons ici, nous risquons de ne jamais arriver à la frontière.

Osman Shérif leva les yeux vers le ciel et secoua la tête.

— La tempête de neige ne fait que commencer. J'avais eu l'intention de camper ici. Nous sommes abrités du vent par les rochers et il y a assez de bois mort autour de nous pour allumer un feu.

— D'autres soldats chinois sont lancés à notre poursuite, lui fit observer Chavasse. S'ils nous rejoignent, nous serons tous massacrés.

— Jamais nous ne pourrons traverser la frontière avant la nuit ! objecta le chef kazakh.

— Cela ne sera pas nécessaire, lui répondit Chavasse. Si nous franchissons les contreforts de cette montagne, nous nous retrouverons tout près du col de Pangong Tso. À trois kilomètres de la frontière, il y a un ancien poste de douane tibétain. Il ne doit pas être à plus de dix kilomètres d'ici. Nous pourrons nous y reposer et traverser plus tard.

— Et s'il est occupé par les Chinois ?

— C'est un risque à prendre, mais il est minime, car les Chinois ont trop peu d'hommes dans cette région pour les disperser dans des endroits aussi isolés. Qu'en pensez-vous, Docteur ? questionna-t-il en se retournant vers Hoffner.

— Je crois que nous n'avons guère le choix, acquiesça Hoffner.

Osman Shérif haussa les épaules.

— Notre sort est entre les mains d'Allah. Cela veut dire que nous allons devoir laisser une partie de nos effets personnels ici afin que chacun d'entre nous puisse avoir une monture.

— Ne vous inquiétez pas à ce sujet, déclara Chavasse. Quand nous atteindrons le Cachemire, on s'occupera de vous. Le gouvernement britannique se montrera très généreux à votre égard et

256

je vous ferai obtenir un visa pour le pays de votre choix, la Turquie, l'Angleterre ou même les États-Unis, si vous le désirez.

Brusquement, les yeux du chef kazakh se mirent à briller et un large sourire illumina son visage.

— Vous auriez dû le dire plus tôt, mon ami, déclara-t-il en posant son fusil et en commençant à défaire les sangles qui retenaient la charge de l'un des chevaux. Dans ces conditions, je suis prêt à vous suivre jusqu'en enfer, s'il le faut.

Laissant Osman Shérif s'affairer autour de ses chevaux, Chavasse rejoignit Katya.

— Comment vous sentez-vous ? lui demanda-t-il en se penchant vers elle avec un sourire plein de sollicitude.

Très pâle, elle avait les yeux cernés et gonflés.

— Cela ira, Paul, murmura-t-elle. Ne vous inquiétez pas pour moi. Croyez-vous que nous allons réussir ?

— Oui, affirma-t-il en posant la main sur son épaule. J'en suis plus que jamais persuadé.

Sur ces paroles rassurantes, il la quitta et alla aider le chef kazakh à débâter les autres chevaux.

*
* *

Quand ils quittèrent leur abri, quelques minutes plus tard, Osman Shérif était en tête de leur petite colonne et Chavasse fermait la marche. Les chevaux s'enfonçaient jusqu'aux boulets dans la neige fraîche et, la tête baissée pour lutter contre le vent, Chavasse se retrouva à nouveau seul avec ses pensées. Il n'avait plus peur, maintenant. En son for intérieur, il était convaincu qu'il survivrait aux épreuves qui l'attendaient encore et il ne craignait même plus la menace de l'homme qui les suivait, quelque part derrière eux, dans la neige et le froid.

Le colonel Li. Les images défilaient dans sa mémoire. Les interrogatoires interminables et l'étrange amitié que l'officier chinois avait essayé de nouer entre eux. Par exemple, l'habitude qu'il avait prise, dès le début, de l'appeler par son prénom. Comme s'il pouvait y avoir quoi que ce soit de commun entre eux !

Naturellement, une telle tentative était vouée à l'échec depuis le départ. Une autre de leurs astuces psychologiques qui n'avait pas fonctionné. Et pourtant, parfois, il lui avait paru presque sincère. C'était vraiment ce qui était le plus incroyable dans toute cette affaire.

Sentant une brûlure soudaine au visage, il grimaça et tira sur ses rênes. Son cheval avait maintenant de la neige presque jusqu'aux genoux. Chavasse retira l'un de ses gants et, d'un geste machinal, passa la main sur son visage. Des glaçons s'étaient formés sur ses joues mal rasées et, à plusieurs endroits, la peau était sensible, craquelée.

De simples engelures, se dit-il en fronçant les sourcils. Pour le moment, du moins. Puis, quand il releva la tête, il éprouva un brusque sentiment de panique. Il était seul et la nuit tombait.

Il s'était arrêté à côté d'une aiguille rocheuse, posée sur la neige comme une sentinelle, et le vent tourbillonnant était déjà en train d'effacer les traces de ses compagnons. Il poussa son cheval en avant, mais bientôt les traces disparurent complètement, noyées dans le blanc manteau qui recouvrait la montagne.

Il ne lui restait plus qu'à se fier à l'instinct de

son cheval. Il continua d'avancer, rênes longues. Le vent sifflait autour de sa tête, lui tailladant les joues et le menton, mais, maintenant, il avait le visage tellement engourdi qu'il ne ressentait plus aucune douleur.

Depuis combien de temps avançait-il ainsi ? Il avait l'impression que cela faisait des heures ! Soudain, son cheval s'arrêta et il leva les yeux. L'aiguille rocheuse était à nouveau devant lui. Il avait tourné en rond !

Une bourrasque de vent le força à courber la tête et, ce faisant, il distingua des traces toutes fraîches dans la neige. Aussitôt, il reprit espoir et talonna sa monture. Osman Shérif avait dû revenir le chercher et, ne le trouvant pas, il était reparti.

Le vent hurlait comme l'Ankou de la Bretagne de ses ancêtres et il était complètement recouvert de neige gelée, mais il gardait les yeux obstinément fixés sur les traces. Au bout d'un moment, il vit un gant de fourrure.

Le froid commençait à paralyser également ses fonctions cérébrales et son esprit ne travaillait plus à sa vitesse normale. Il examina ses propres mains. Elles étaient toujours gantées. À qui donc pouvait bien appartenir ce gant ?

Un peu plus loin, son cheval buta sur une casquette militaire chinoise. Il descendit de monture, la ramassa et la regarda fixement. Il se demandait ce que pouvait bien signifier sa trouvaille, lorsque, soudain, une silhouette émergea de la pénombre et avança vers lui en titubant.

Chavasse distingua vaguement un visage blanc de neige et, quand il abaissa son regard vers la main qui s'était posée sur son épaule, il vit qu'elle était nue et bleue de froid.

De sa main gantée, il essuya le visage de l'homme et découvrit les yeux vides et sans expression du colonel Li. Pendant quelques instants, il resta immobile, comme frappé de stupeur, puis brusquement, il arracha gant de sa main droite, prit son automatique dans la poche de son manteau et en appuya le canon sur la poitrine de l'officier chinois. Son doigt commençait déjà à se crisper sur la détente, lorsque tout aussi soudainement il remit l'arme dans sa poche et renfila son gant.

— Pourquoi est-ce que je ne te tue pas, espèce de salopard ? Pourquoi, je te le demande ?

Il n'eut pas de réponse — du moins rien de compréhensible — et le colonel Li se laissa entraîner sans résister. Chavasse essaya de le hisser sur la selle de son cheval, mais, très vite, il dut y renoncer. Il n'avait plus assez de force pour soulever un pareil fardeau. Un bras passé autour des épaules de son pire ennemi, il ferma les yeux et s'appuya contre le poitrail de son cheval. Un grand froid était en train de l'envahir. C'était la fin... Lui aussi, il allait mourir là, dans ces montagnes désolées, à dix mille kilomètres de l'Angleterre.

Non, ce serait vraiment trop stupide !

Tout au fond de lui, il y avait encore une flamme qui brûlait et qui refusait de s'éteindre. Il prit une profonde inspiration et, dans un ultime effort, il réussit à soulever le corps inerte de l'officier chinois et à le mettre en travers de l'encolure de sa monture. Puis, alors qu'il se hissait lui-même sur la haute selle en bois, Osman Shérif apparut comme par miracle au milieu d'un tourbillon de neige.

CHAPITRE DIX-HUIT

La masure était très basse et ses murs étaient constitués de gros blocs de pierre simplement posés les uns sur les autres, sans aucun ciment. Dehors, le vent hurlait à travers le défilé, charriant avec lui toute la neige et tout le froid des hauts plateaux du Tibet et du Sin-kiang.

À l'intérieur, on avait davantage l'impression d'être dans une écurie que dans une maison, car les chevaux occupaient plus de la moitié de l'espace disponible. Assis sur une botte de paille, Chavasse tenait entre ses mains un bol ébréché. Le thé qu'il contenait était brûlant et il le savourait lentement, à petites gorgées, les yeux perdus dans le vague.

De l'autre côté du feu, Katya dormait, enveloppée dans son grand manteau de fourrure. Complètement épuisés, les deux enfants du chef kazakh dormaient également, tandis que leur mère surveillait patiemment l'eau qu'elle était en train de faire chauffer dans un petit chaudron en cuivre.

Dans le coin le plus éloigné de la porte, Hoffner et Osman Shérif étaient penchés au-dessus du colonel Li. Ils étaient éclairés par la flamme vacillante d'une petite lampe à beurre posée dans une niche au-dessus d'eux. L'officier chinois gémissait et Hoffner lui parlait d'une voix douce, apaisante. Une fois ou deux, le corps du colonel se contracta brusquement et le Kazakh dut user de toutes ses forces pour le maintenir allongé.

Au bout d'un moment, Hoffner se leva et retourna auprès du feu, laissant à Osman Shérif le soin de recouvrir l'officier chinois avec une couverture en peau de mouton.

— Comment va-t-il ? questionna Chavasse.

Hoffner soupira.

— J'ai dû lui amputer trois doigts à la main gauche. Il fallait agir vite pour éviter la gangrène. Heureusement qu'Osman Shérif a réussi à vous retrouver.

Chavasse frissonna. Dehors, le vent avait redoublé de violence.

— Oui, acquiesça-t-il. Nous n'aurions pas résisté longtemps par un froid pareil. Malgré moi, je ne puis m'empêcher d'éprouver une certaine admiration à l'égard de Li. Il lui a fallu du cran, beaucoup de cran, pour se lancer à notre poursuite au milieu de cette tempête de neige. Quand je l'ai retrouvé, j'avais déjà tourné en rond pendant plus d'une heure.

Hoffner bourra sa pipe lentement et fronça les sourcils.

— Je croyais bien le connaître, murmura-t-il, mais, maintenant, je n'en suis plus aussi sûr. Je ne comprends vraiment pas, moi non plus, ce qui a pu le pousser à commettre un acte aussi insensé.

Chavasse haussa les épaules.

— Les communistes ne raisonnent pas comme nous et, pour ma part, cela fait déjà bien longtemps que j'ai renoncé à les comprendre.

Osman Shérif s'accroupit à côté d'eux et accepta en souriant le bol de thé que lui tendait sa femme.

— Le problème avec vous autres, Occidentaux, déclara-t-il, c'est que vous compliquez trop les choses. Les gens d'ici obéissent à des principes qui sont à la fois simples et rigoureux. Un chasseur ne lâchera jamais sa proie avant de l'avoir tuée, même si pour cela il doit mettre sa propre vie en péril. C'est une question d'honneur.

Hoffner secoua la tête.

— Non, je suis persuadé qu'il y a autre chose. Il a fallu un mobile vraiment puissant pour qu'un homme comme le colonel Li brave ainsi le froid et la tempête.

— Et si ce mobile était tout simplement vos papiers ? suggéra Chavasse.

— Je ne le pense pas, répondit Hoffner en secouant à nouveau la tête. D'ailleurs le capitaine Tsen n'a pas eu l'occasion de lui en parler et il ignorait donc leur existence. Je n'ai aucune certitude, mais j'ai l'impression que c'était vous qu'il poursuivait, Paul. Un peu comme s'il s'était lancé un défi à lui-même.

Chavasse le considéra d'un air perplexe.

— Pourquoi seulement moi ? Il voulait nous rattraper tous les trois.

— Oh, il ne s'agit que d'une intuition, murmura Hoffner, et, comme toutes les intuitions, elle est impossible à expliquer. Maintenant, ajouta-t-il en s'allongeant, je crois que je vais prendre un peu de repos. La journée a été rude pour un vieil homme comme moi.

263

Après avoir fini son bol de thé, Chavasse s'étendit également et regarda fixement le feu qui rougeoyait dans la pénombre. Non, décidément, le comportement du colonel Li était inexplicable. Du moins, il n'avait aucune explication plausible.

Au bout d'un moment, la fatigue eut raison de lui et il sombra dans un profond sommeil.

*
* *

Il ouvrit les yeux et son regard rencontra un plafond bas et enfumé, avec de grosses poutres couvertes de toiles d'araignées. Où diable était-il ? se demanda-t-il en fronçant les sourcils. Rien de ce qui l'entourait ne lui était familier... Ah oui ! brusquement, la mémoire lui revint et il essaya de s'asseoir.

Il avait les mains enflées et son visage le brûlait horriblement. Il effleura ses joues avec le bout de ses doigts et grimaça en sentant les longues craquelures qui lui entamaient la peau.

Autour de lui, tout le monde dormait. Il se pencha en avant et remua la cendre du feu. Il y avait encore des braises et il rajouta quelques morceaux de bois mort pour le raviver. Lorsque les flammes commencèrent à crépiter, il vit que Katya était accroupie à côté du colonel Li.

Son visage était très pâle, presque gris. Lentement, elle se redressa et le rejoignit en se frayant un chemin entre les corps allongés par terre.

— Comment vous sentez-vous ? questionna-t-elle en s'asseyant à côté de lui et présentant les paumes de ses mains à la chaleur des flammes.

— Je survivrai. Comment va notre ami ?

La jeune femme soupira.

— Je ne pouvais pas dormir et je l'ai entendu

qui gémissait. Je suis allée voir si je pouvais faire quelque chose pour le soulager. Qu'est-il arrivé à sa main ?

— Il a eu les doigts gelés, répondit Chavasse. Le docteur Hoffner a été obligé de l'amputer pour éviter la gangrène.

Elle eut un haut-le-corps et il mit un bras apaisant autour de ses épaules.

— Je sais que cela a dû vous sembler un horrible cauchemar, mais bientôt ce sera fini. Dès que la tempête se sera un peu calmée, nous passerons de l'autre côté de la frontière.

Pendant quelques instants, elle resta silencieuse, les yeux fixés droit devant elle.

— Pourquoi donc a-t-il continué de nous poursuivre à pied et par un temps pareil ? murmura-t-elle enfin, comme se parlant à elle-même.

Chavasse haussa les épaules.

— Je ne sais pas, mais il y avait sûrement quelque chose qui le tourmentait. D'après Hoffner, c'était seulement moi qu'il poursuivait.

Elle se retourna vers lui, les sourcils froncés.

— Qu'a-t-il voulu dire par là ?

— Il n'a pas su me l'expliquer, répondit Chavasse, mais je pense que cela a un rapport avec les convictions politiques du colonel Li. Il croit dans le communisme un peu comme un prêtre croit en Dieu. Pour lui, il n'y a pas de salut en dehors du Parti.

— Peut-être, concéda-t-elle, mais en quoi ses convictions vous concernent-elles ?

Chavasse haussa à nouveau les épaules.

— Il ne s'agit bien sûr que d'une supposition, mais, pour une raison personnelle que je n'ai pas encore devinée, il serait devenu très important pour lui que non seulement je confesse mes crimes envers la République populaire de Chine, mais qu'en plus je me convertisse par son entremise aux idéaux auxquels il a consacré sa vie.

— Qu'est-ce qui vous fait penser cela ?

Chavasse soupira.

— Parce que je crois qu'il éprouve de l'amitié à mon égard. Dans un autre lieu et à une autre époque, nous aurions sans doute pu être amis.

Il y eut un long silence entre eux, puis Katya hocha doucement la tête.

— Et maintenant, comment va-t-il réagir ?

— Je ne sais vraiment pas, avoua Chavasse. En refusant de me laisser convertir, même après avoir subi les pires tortures, j'ai ébranlé sa foi dans la cause qu'il défend. Le doute est ce qu'il y a de pire pour un fanatique. Désormais, il n'a plus le choix. S'il ne parvient pas à me détruire, il faut qu'il se détruise lui-même. C'est peut-être pour cela qu'il a continué de nous poursuivre, tout seul et à pied au milieu de la tempête.

— C'est bizarre, murmura-t-elle. À vous entendre, on pourrait penser que vous éprouvez de la pitié à son égard, mais, en même temps, votre ton est totalement froid et indifférent.

— De la pitié ? répéta-t-il. Jamais je n'éprouverai la moindre pitié pour un homme qui a autant de sang sur les mains !

— Qu'allez-vous faire de lui quand vous vous en irez ?

— Je lui donnerai un cheval et de la nourriture, répondit-il. Ainsi, il devrait pouvoir rentrer sans trop de peine à Rudok. Si c'était cela que vous désiriez savoir, je n'ai pas l'intention de le tuer. Ce n'est plus nécessaire désormais.

— Parce que, de toute façon, vous l'avez déjà détruit moralement ?

266

Il hocha la tête.

— En quelque sorte.

Pendant quelques instants, elle regarda le feu en silence.

— Et moi, Paul ? Que vais-je devenir quand nous serons au Cachemire ?

Il lui sourit et l'embrassa avec tendresse sur la joue.

— Vous n'avez pas à vous inquiéter. Je suis sûr qu'on vous trouvera une place correspondant à vos capacités.

— Vous pensez donc qu'il y a encore de l'espoir pour nous ? questionna-t-elle en le regardant comme si elle avait voulu lire au fond de son âme.

— Il y a toujours de l'espoir, Katya, affirma-t-il avec conviction. C'est pour cela que la vie mérite d'être vécue.

Elle posa la tête sur son épaule et il la serra contre lui, puis, au bout de quelques instants, elle s'assoupit et, les yeux fixés sur les flammes, il attendit patiemment les premières lueurs de l'aube.

*
* *

Juste avant le lever du soleil, le vent s'apaisa et Osman Shérif sortit en reconnaissance. Quand il revint, un large sourire éclairait son visage.

— La neige s'est arrêtée de tomber, déclara-t-il. Nous devrions pouvoir franchir le col sans aucun problème.

Tandis qu'il faisait sortir les chevaux, tout le monde se réveilla et, en quelques instants, sa femme raviva le feu, mit de l'eau à chauffer pour le thé.

Chavasse sortit pour aider le chef kazakh à seller les chevaux et lui dit qu'il avait l'intention de laisser l'une de leurs montures au colonel Li.

— Ce serait du gaspillage, lui répondit simplement le Kazakh.

Chavasse fronça les sourcils.

— Vous pensez qu'il n'est pas capable de rentrer tout seul à Rudok ?

Le Kazakh secoua la tête.

— Ce n'était pas cela que je voulais dire, mon ami. Je l'ai regardé dans les yeux. C'est un homme fini. Il vivra peut-être, mais il ne sera plus jamais que l'ombre de lui-même.

Chavasse retourna à l'intérieur et s'assit à côté de Hoffner qui était en train de boire du thé. Le vieil homme avait le teint gris et l'air hagard, mais semblait être d'excellente humeur.

— Pourquoi diable êtes-vous aussi sombre, Paul ? s'enquit-il d'une voix enjouée.

Chavasse grimaça un sourire et accepta le bol de thé que lui tendait la femme du chef kazakh.

— La fatigue, sans doute, répondit-il. Depuis un mois, mon organisme a été mis à rude épreuve.

Katya était assise auprès des enfants, de l'autre côté du feu. Elle avait les joues creuses et le regard vide.

— Il n'y en a plus pour longtemps, maintenant, lui dit Chavasse à voix basse.

Elle sursauta et le regarda fixement, comme si elle se demandait qui il pouvait bien être, puis elle sourit. Un sourire étrange, empreint d'une tristesse qui le toucha jusqu'au plus profond de lui-même.

Il finit son bol de thé, le remplit à nouveau et alla s'accroupir à côté du colonel Li qui était assis, adossé à un pilier en bois et les genoux recouverts par une couverture en peau de mouton.

L'officier chinois lui adressa un sourire contraint et accepta le thé qu'il lui offrait.

— Je suppose que je devrais vous féliciter, murmura-t-il d'une voix rauque et voilée.

— Il y a une chose qui continue de m'intriguer, déclara Chavasse. Pourquoi Tsen n'avait-il aucun soldat avec lui pendant qu'il m'attendait à la maison de Hoffner ?

Le colonel Li grimaça un nouveau sourire.

— Six hommes devaient le rejoindre à minuit. Nous n'avions pas prévu que vous réussiriez aussi vite à vous évader. À propos, j'avais trois hommes avec moi quand je suis parti à pied à votre poursuite. Que sont-ils devenus ?

— Je ne les ai pas vus, répondit Chavasse. J'étais moi-même perdu dans le blizzard quand je vous ai rencontré.

À cet instant, Osman Shérif entra et vint s'asseoir devant le feu.

— C'est à notre ami là-bas que vous devez la vie, ajouta Chavasse en faisant un signe de tête en direction du chef kazakh.

Le colonel Li finit son bol de thé et le posa soigneusement à côté de lui.

— Un répit qui, je suppose, sera de courte durée.

Chavasse secoua la tête.

— Vous vous trompez sur nos intentions, Colonel. Nous avons décidé de vous laisser un cheval et de la nourriture. Normalement, vous devriez pouvoir rentrer sans trop de peine à Rudok.

Les lèvres de l'officier chinois frémirent et,

soudain, des gouttes de sueur se mirent à perler sur son front.

— Vous voulez dire que vous n'allez pas m'abattre, comme vous avez abattu Tsen ?

— Ce n'est pas nécessaire, répondit Chavasse. Vous êtes déjà fini. Complètement décavé, pour employer un terme en usage dans les salles de jeux.

Il commençait à se lever, lorsqu'une voix douce s'éleva derrière lui.

— Pas tout à fait, Paul.

Chavasse se retourna très lentement. Katya leur faisait face, debout de l'autre côté du feu. Elle tenait le pistolet-mitrailleur entre ses mains.

Hoffner fut le premier à recouvrer la parole.

— Katya, pour l'amour du ciel ! Qu'est-ce que cela signifie ?

Son extrême pâleur la rendait encore plus belle. Elle avait les joues presque translucides et un étrange mélange de tristesse et de détermination émanait de ses grands yeux noirs. Des yeux dont l'expression resterait à jamais gravée dans la mémoire de Chavasse.

Il avança vers elle, les mains profondément enfoncées dans les poches de son manteau en peau de mouton.

— Racontez lui donc tout, ma douce amie, déclara-t-il avec un sourire amusé. Sans rien oublier, afin que notre bon docteur soit parfaitement édifié.

Brusquement, le visage de la jeune femme se décomposa.

— Vous saviez, murmura-t-elle. Vous saviez tout depuis le début ! Mais alors, pourquoi m'avez-vous emmenée avec vous ?

Chavasse sourit à nouveau.

— Oh, vous auriez été, en quelque sorte, la cerise sur le gâteau, si je puis m'exprimer ainsi sans vous offenser. Mes collègues emploient des méthodes moins brutales que les vôtres pour interroger un agent ennemi, mais elles sont peut-être encore plus efficaces. À vrai dire, poursuivit-il, je commençais à me demander si vous alliez vous décider à poser vos cartes sur la table. J'attendais ce moment depuis l'instant où vous avez repris connaissance. Si cela vous intéresse, c'est par la faute de votre petit ami, le colonel Li, ici présent, que j'ai deviné que vous jouiez un double jeu — ou, plutôt, que j'en ai acquis la certitude. Le jour où il m'a démasqué chez Hoffner, il a prétendu avoir rencontré Kurbsky quelques jours plus tôt et passé la soirée avec lui à l'auberge d'un petit village — Rangong, si mes souvenirs sont exacts. Or, Kurbsky m'avait dit qu'il ne le connaissait pas.

— Tout le monde fait des erreurs, déclara-t-elle avec un haussement d'épaules nonchalant.

— Dans ce métier, il vaut mieux ne pas trop en faire, si l'on veut rester vivant, répliqua-t-il. Vous en avez fait une autre également. Lors de notre promenade à cheval, je vous ai dit que j'avais aidé le dalaï-lama à quitter le Tibet. Or, par ailleurs, je savais d'une façon certaine que Pékin ne pouvait pas être au courant de mon implication dans cette affaire. Donc, comme le colonel Li connaissait ce détail de mon curriculum, ce ne pouvait être que vous qui l'en aviez informé. Au fait, pour quelle raison m'avez-vous trahi ? Par conviction ou parce qu'il est votre amant ?

— C'est mon frère, dit-elle avec fierté. Nous

travaillons tous les deux pour la même cause et nous savons exactement ce que nous faisons.

— Votre cause ! ironisa-t-il. Pour l'amour du ciel, ne me parlez plus de votre paradis communiste ! Après ce que j'ai dû endurer ces dernières semaines, je ne sais que trop à quoi il ressemble. Parlez-moi donc plutôt des raisons pour lesquelles il vous avait placée comme gouvernante chez Hoffner.

La jeune femme haussa à nouveau les épaules.

— Notre « bon docteur » jouissait d'un très grand prestige auprès des petites gens de Changu et il était nécessaire qu'une personne sûre partage ses confidences. Cette affaire, à elle seule, a prouvé amplement que ma présence auprès de lui était plus que justifiée.

— Il y a une autre petite chose qui m'intrigue depuis longtemps. Quand j'ai essayé de tirer sur votre frère, le jour où j'ai été pris, mon Walther s'est enrayé. Auparavant, jamais il ne m'avait fait défaut de cette façon.

— La nuit précédente, expliqua-t-elle, j'avais pris la précaution d'enlever le chargeur. Pendant que vous dormiez.

— Une excellente précaution, approuva-t-il en soupirant. Vous rendez-vous compte de ce qui va nous arriver quand vous allez nous ramener à Changu ? Savez-vous le sort qui va nous être réservé ?

— On ne vous fera rien de plus que ce qui sera nécessaire pour le bien du Parti, affirma-t-elle. Surtout si vous acceptez de collaborer avec nous et de renier vos anciens maîtres impérialistes.

— Katya ! s'exclama Hoffner d'une voix douloureuse. Votre affection pour moi n'a-t-elle donc été qu'une cynique comédie ?

272

— Oui, Docteur, répondit-elle avec froideur.

— Je n'en crois rien !

Il s'avança vers elle, mais, aussitôt, elle braqua son pistolet-mitrailleur dans sa direction.

— Pas un pas de plus, Docteur. Je vous préviens que je n'hésiterai pas à tirer.

— Vous tueriez en même temps le savant, lui fit observer Chavasse d'un ton moqueur. N'avez-vous pas peur que vos chefs, à Pékin, vous reprochent un acte aussi irraisonné ?

— Tous les calculs sont dans la serviette, dit-elle calmement. Je n'ai rien à perdre.

Hoffner continua d'avancer, les mains tendues vers elle.

— Katya, je t'en prie, écoute-moi.

— Je vous aurai prévenu, Docteur.

Son automatique bien en main dans sa poche, Chavasse surveillait depuis le début l'index de la jeune femme. Lorsqu'il le vit s'incurver sur la détente, il fit feu par deux fois à travers le cuir de son manteau en peau de mouton.

Touchée en pleine poitrine, elle fut projetée violemment en arrière et lâcha son pistolet-mitrailleur, avant de s'affaisser lentement sur elle-même.

Contournant Hoffner qui avait poussé un cri d'agonie et s'était caché le visage à deux mains, Chavasse s'agenouilla à côté de Katya. Elle le regarda fixement, une lueur d'incompréhension dans les yeux, puis sa bouche se remplit de sang et, après un dernier sursaut nerveux, son regard devint fixe et sa tête retomba mollement sur le côté.

Derrière eux, Osman Shérif avait fait sortir avec précipitation sa femme et leurs deux enfants.

— Je suis désolé, murmura Chavasse en se retournant vers Hoffner. Je sais tout ce qu'elle a été pour vous.

Hoffner secoua la tête avec résignation.

— Vous ne pouviez rien faire d'autre. Pour la première fois de ma vie, je commence à comprendre à quel point ces gens-là ont été embrigadés et rendus fanatiques. Cela me fait peur et je me dis que rien ne doit être négligé pour les combattre, les empêcher de dominer le monde.

Sur ces mots, il prit sa serviette d'une main, sa sacoche de médecin de l'autre, et sortit de la maison, la tête basse.

Chavasse se retourna vers la jeune femme et regarda une dernière fois son visage. Le colonel Li s'était levé et était venu s'agenouiller à côté de sa sœur. Au bout de quelques instants, il se redressa et se mit à parler d'une voix lointaine, presque désincarnée.

— Vous êtes un homme dur, monsieur Chavasse. Jamais je n'aurais imaginé qu'un être humain puisse être aussi implacable.

— Je suis simplement un professionnel, lui répondit Chavasse. C'est quelque chose que vous ne pouvez pas comprendre, mais elle, elle l'aurait compris. En un sens, elle aussi c'était une professionnelle.

Il fit un pas vers la porte, mais le colonel Li le retint par le bras.

— Tuez-moi, Paul !

Sans un mot, Chavasse se dégagea et sortit. Dehors, le ciel était encore gris, mais il commençait à s'éclaircir et la neige était d'un blanc éclatant.

Les autres étaient déjà à cheval et Osman Shérif l'attendait en tenant par la bride le cheval qu'il lui avait préparé. Chavasse mit le pied à l'étrier et se hissa, non sans peine, sur la haute selle en bois ouvragé.

Derrière lui, le colonel Li était sorti en titubant et avait la main posée sur l'encolure du cheval qu'ils lui avaient laissé, mais il ne tourna même pas la tête dans sa direction.

L'effet de la deuxième piqûre de Hoffner était en train de se dissiper et, tout à coup, il se sentit très fatigué. Une fatigue qui, désormais, n'avait plus d'importance. Dans quelques heures, le cauchemar serait oublié et la vie allait recommencer, comme avant. Le bureau, les brèves rencontres, l'ennui, les clubs de jeu... Tout un programme qui, pour une fois, était loin de lui déplaire.

LONDRES

1995

CHAPITRE DIX-NEUF

Le feu était presque éteint maintenant et, lorsque Chavasse eut fini de parler, un long silence envahit la pièce. Un silence que Moro fut le premier à briser.

— Ainsi, vous êtes arrivé sain et sauf en Inde, tout comme le Dr Hoffner et la famille kazakhe ?

— C'est exact.

— Mais, qu'est-il arrivé ensuite ? Plus personne n'a jamais entendu parler de Hoffner. J'ai consulté de nombreux documents de l'époque et nulle part je n'ai trouvé mention de lui ou de ses découvertes.

— Toute l'affaire a été entourée du plus grand secret, répondit Chavasse. Afin de ne pas éveiller l'attention des services secrets de l'Est, naturellement.

— Ainsi, il a été emmené en Angleterre ?

Chavasse hocha la tête.

— Moncrieff s'est chargé de tous les détails matériels. À son arrivée à Londres, une voiture l'attendait pour le conduire dans une petite maison des environs de Cambridge où il était supposé rencontrer, quelques jours plus tard, son vieil ami, le professeur Craig.

Moro haussa un sourcil étonné.

— Vous avez dit « était supposé » ?

— Oui, acquiesça Chavasse. La vie vous joue parfois des mauvais tours. Karl Hoffner est mort d'une crise cardiaque au cours de la première nuit qu'il a passée en Angleterre. Comme je vous l'ai dit, c'était un vieil homme très usé, physiquement et moralement ; son cœur n'a pas supporté la fatigue et la tension d'un pareil voyage. Comme, officiellement, il n'existait pas, son corps a été incinéré dans la plus grande discrétion par le service du « Bureau » chargé de ce genre de corvées.

— Mais, vous aviez ses papiers, objecta Moro. Comment se fait-il qu'aucune publication scientifique n'ait jamais fait état de ses travaux ?

Chavasse haussa les épaules.

— Le professeur Craig les a fait étudier par les spécialistes les plus éminents de son équipe, mais aucun d'entre eux n'a réussi à en tirer quoi que ce soit d'intéressant. Ce qui nous laisse avec deux hypothèses : ou bien une erreur fondamentale entachait quelque part sa théorie, ou bien Hoffner était un tel génie que personne n'a été capable de le suivre dans ses déductions.

Il y eut un nouveau silence, puis Moro soupira.

— Tout cela pour rien. Ce voyage terrifiant, la mort de Katya, les doigts gelés du colonel Li et tous ces autres morts anonymes. Tout cela pour rien, répéta-t-il en secouant la tête.

— C'est ainsi que va le monde, déclara Chavasse philosophiquement. Dans toutes les guerres, il y a, hélas, des sacrifices inutiles.

— Mais vous, vous êtes encore là, murmura le

Tibétain. Vous êtes la seule personne vivante qui se souvienne encore de ces tragiques événements.

— Pas tout à fait, répondit Chavasse en prenant une cigarette dans son étui en argent. Nous sommes deux. Vous et moi.

Cette fois, ce fut un silence très profond qui les enveloppa. Le visage de Moro s'était transformé, presque comme s'il était devenu une autre personne, et il glissa une main à l'intérieur de sa longue robe de moine bouddhiste.

— Que voulez-vous dire par là ?

Chavasse sourit.

— Oublions l'étrange connaissance que vous avez de mon passé et tenons-nous-en au fait que vous saviez qui était le Dr Hoffner et quel a été mon rôle dans son évasion du Tibet. Il s'agit là d'un point fort intéressant. Lorsque je vous ai demandé d'où vous teniez ces informations, vous m'avez répondu qu'elles provenaient de sources « personnelles ».

— Oui, et alors ?

Chavasse sourit à nouveau.

— Si vous le voulez bien, revenons un peu en arrière. Je suis passé en Inde avec Hoffner, Osman Shérif et sa famille. Nous pouvons écarter d'emblée ces derniers qui sont allés s'installer en Turquie et qui, de toute façon, n'ont assisté qu'aux dernières péripéties des événements que je viens de vous raconter. Qui d'autre reste-t-il ? Le professeur Craig ? Il est mort voici plus de vingt ans. Moncrieff ? Il est mort également. Et, par ailleurs, il n'existe aucun compte rendu officiel de cette opération dans les fichiers du Bureau. Je le sais, parce que j'ai été moi-même chef du Bureau pendant ces vingt dernières années.

— Je vois que vous avez un esprit logique, Sir Paul.

— Très logique, acquiesça Chavasse. Donc, poursuivit-il, comme, à part moi, personne dans le monde occidental ne pouvait vous avoir renseigné, j'en ai conclu que vous aviez obtenu vos informations ailleurs. Pour être précis, à Pékin, et de la bouche du seul homme qui était au courant de cette vieille histoire. Un homme qui, d'après mes services, est mort d'un cancer, il y a une dizaine d'années. Le colonel Li.

Moro hocha la tête.

— C'était mon père. Je suis le produit d'une brève aventure qu'il a eue avec sa gouvernante à Changu. Je suis né en 1960 et ma mère est morte peu après l'affaire Hoffner. Mon père m'a alors emmené à Pékin. C'est lui qui m'a élevé et qui a pourvu à mon éducation. Je ne vous ai pas menti quand je vous ai dit que j'étais allé à l'université de Cambridge.

— Ainsi, c'est lui qui vous a parlé de Hoffner... Mais, il y a quelque chose que je ne comprends pas. Pourquoi êtes-vous venu me demander de vous raconter cette histoire, puisque vous la connaissiez déjà ?

— Je voulais l'entendre de vos propres lèvres. Et je me demandais également quel homme vous étiez devenu après toutes ces années. Vous avez tué ma tante, Katya ; à cause de vous, la carrière de mon père a été brisée et il est resté infirme pendant tout le reste de sa vie.

— Ainsi, vous êtes venu les venger, commenta Chavasse. Vous avez pris votre temps.

— J'en ai rêvé pendant des années, murmura

Moro avec une grimace amère, mais il ne m'a pas été facile de vous retrouver. J'avais peu de moyens pour entreprendre mes recherches et, en outre, vous étiez bien gardé. Néanmoins, je savais qu'un jour ou l'autre ma patience serait récompensée.

Chavasse hocha la tête.

— Je dois vous dire que pendant que vous vous restauriez à la cuisine, j'ai téléphoné au temple de Glen Aristoun. Ils n'avaient jamais entendu parler d'un lama Moro. Après ce coup de fil, j'ai eu également une petite conversation avec Jackson. Il y a un interphone entre cet appartement et le sien. Jackson est resté derrière la porte pendant toute la durée de notre entretien. Si vous vous donnez la peine de tourner la tête, vous verrez que le battant est légèrement entrouvert. Entre donc, Earl ! ajouta-t-il en élevant la voix.

La porte s'ouvrit et Jackson entra.

— J'ai tout entendu, déclara-t-il en refermant sans bruit derrière lui. C'était encore mieux qu'un film policier à la télé !

La main de Moro sortit de sa robe. Elle était armée d'un pistolet de fort calibre.

— Intéressant, déclara Chavasse en s'adressant à Earl. Une copie chinoise d'un Tokarev russe.

— Modèle 670, renchérit Jackson. Le seul problème avec ce joujou, c'est qu'il ne peut tirer qu'une seule cartouche quand il est équipé d'un silencieux. Après, il s'enraye. Or, nous sommes deux.

— Une seule suffira, répliqua Moro. Je suis réellement un moine, Sir Paul. J'appartiens au temple de Shaolin et je n'ai pas peur de la mort. Je désire seulement venger Katya et mon père.

Il releva le canon de son arme, mais, Chavasse avait déjà à la main le Walther qu'il avait prit la précaution de glisser sous le coussin de son fauteuil.

— Quand on veut tuer quelqu'un, on parle moins, déclara-t-il en même temps qu'il appuyait sur la détente.

Frappé de plein fouet, avant qu'il ait pu comprendre ce qui lui arrivait, Moro laissa échapper son Tokarev et tomba en arrière, le dos contre le mur.

Jackson s'agenouilla à côté de lui et hocha la tête d'un air approbateur.

— Joli coup, commenta-t-il. En plein cœur. Une fois de plus, votre séance hebdomadaire au stand de tir vous aura sauvé la vie. Ce vermisseau avait réellement décidé de vous tuer.

— Je sais, acquiesça Chavasse tout en décrochant son téléphone.

Il composa un numéro et, quelques secondes plus tard, une voix résonna à l'autre bout du fil.

— Le Grand Patron à l'appareil. Prévenez la section Trois que j'ai eu une alerte rouge à mon domicile. J'ai besoin immédiatement d'une équipe de nettoyage.

Après avoir reposé le combiné, il se retourna vers Earl.

— Il y en a pour vingt minutes. Arrange-toi pour tenir Lucy en dehors de cette affaire.

Jackson hocha la tête.

— Ne vous inquiétez pas, Sir Paul. Elle s'est couchée avant que je monte et, telle que je la connais, elle doit être déjà profondément endormie.

284

Le fourgon mortuaire apparut à l'heure dite. Deux vieux gentlemen, costume sombre et cravate noire, montèrent avec un cercueil à l'appartement de Chavasse et redescendirent quelques instants plus tard avec le corps de Moro. La robe avait absorbé le sang qui avait coulé de la blessure et la moquette n'était même pas tachée.

— Quelques livres de cendre grise, déclara Jackson. C'est tout ce qu'il en restera demain matin. Ils les disperseront sans doute sur une plate-bande ou dans un massif de fleurs. C'est excellent pour les rosiers.

— Tu es un homme dur, Earl.

Jackson haussa les épaules.

— Je me suis trop battu pour ne pas avoir fini par m'endurcir. Vous n'auriez rien pu faire d'autre. C'était lui ou vous. Avez-vous encore besoin de moi, Sir ?

— Non, tu peux te retirer.

— Merci, Sir. Bonne nuit.

La porte se referma et Chavasse resta quelques instants immobile, puis il décrocha à nouveau le téléphone et composa le numéro du 10 Downing Street.

— Code Eagle, déclara-t-il. Veuillez me mettre en communication avec monsieur le Premier ministre.

Il attendit une minute ou deux, puis la voix de John Major résonna dans l'écouteur.

— C'est toi, Paul ?

— Oui, je voulais vous faire savoir que je serai à mon bureau demain matin et que je continuerai de remplir mes fonctions aussi longtemps que vous aurez besoin de moi.

— C'est parfait, acquiesça Major. Nous aurons un entretien dès que mon emploi du temps me le permettra. À bientôt, Paul.

Chavasse reposa le combiné, se servit un whisky et alla ouvrir la fenêtre. La pluie s'était remise à tomber et les trottoirs luisaient comme les pavés de la cour du monastère de Changu, trente-trois ans plus tôt.

Ainsi, l'aventure de sa vie n'était pas encore terminée.

Il leva son verre et porta un toast silencieux à la nuit.

Composition réalisée par S.C.C.M. - Paris XIIᵉ

IMPRIMÉ EN FRANCE PAR BRODARD ET TAUPIN
Usine de La Flèche (Sarthe).
LIBRAIRIE GÉNÉRALE FRANÇAISE - 43, quai de Grenelle - 75015 Paris.

ISBN : 2 - 253 - 17021 - 6